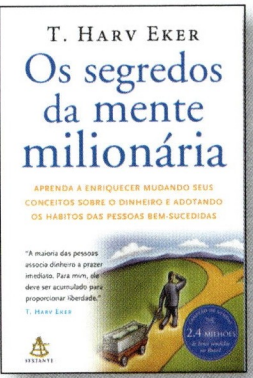

2,4 milhões de livros vendidos no Brasil

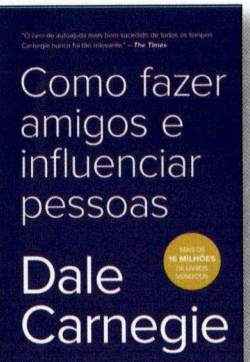

16 milhões de livros vendidos no mundo

400 mil livros vendidos no Brasil

400 mil livros vendidos no Brasil

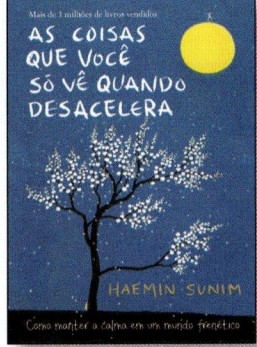

350 mil livros vendidos no Brasil

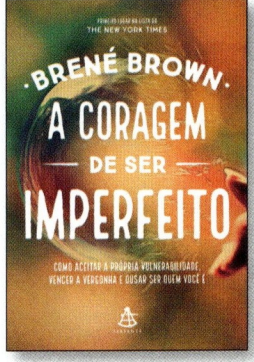

600 mil livros vendidos no Brasil

60 mil livros vendidos no Brasil

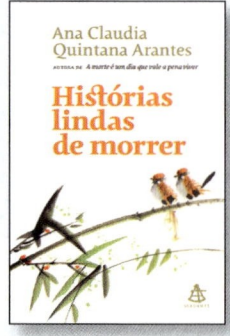

70 mil livros vendidos no Brasil

40 mil livros vendidos no Brasil

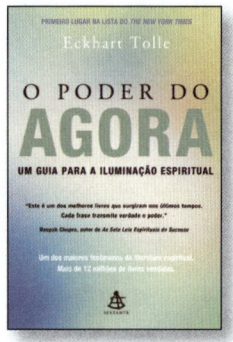

1,2 milhão de livros vendidos no Brasil

30 mil livros vendidos no Brasil

350 mil livros vendidos no Brasil

3 milhões de livros vendidos no Brasil

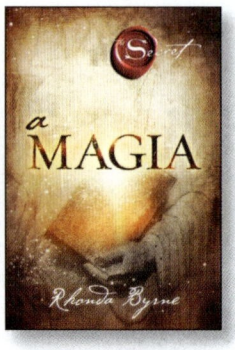

260 mil livros vendidos no Brasil

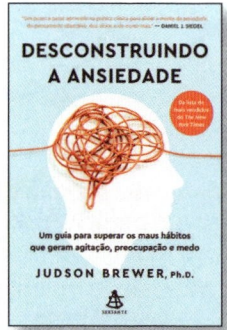

14 mil livros vendidos no Brasil

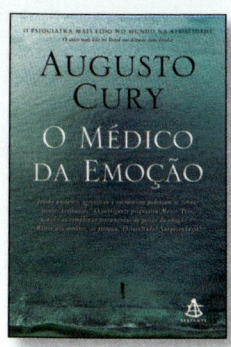 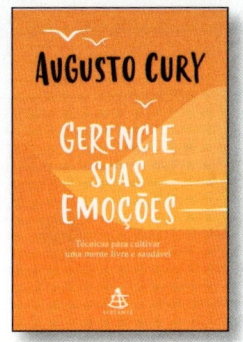 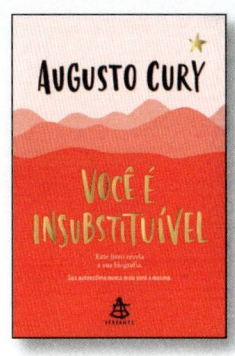

Os livros de Augusto Cury venderam mais de 20 milhões de exemplares

570 mil livros
vendidos no Brasil

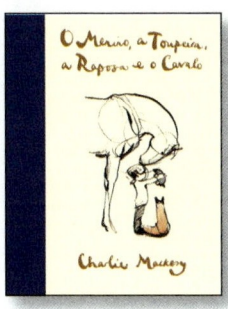

2 milhões de livros
vendidos no mundo

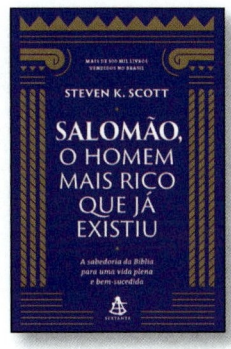

350 mil livros vendidos
no Brasil

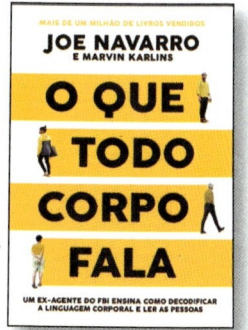

1,2 milhão de livros
vendidos no mundo

1,2 milhão de livros
vendidos no mundo

200 mil livros
vendidos no Brasil

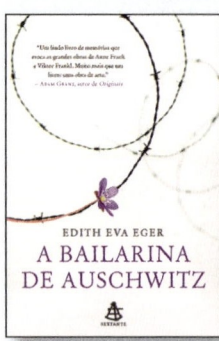

100 mil livros
vendidos no Brasil

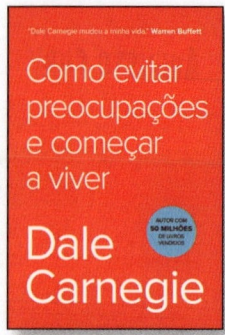

40 mil livros
vendidos no Brasil

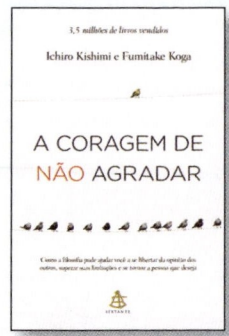

3,5 milhões de livros
vendidos no mundo

90 mil livros
vendidos no Brasil

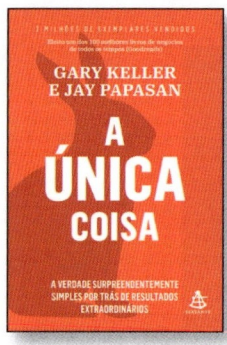

2 milhões de livros
vendidos no mundo

5 milhões de livros
vendidos no mundo

100 mil livros
vendidos no Brasil

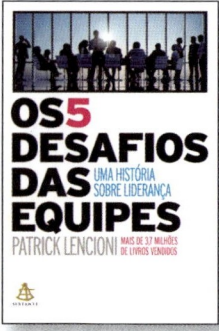

80 mil livros
vendidos no Brasil

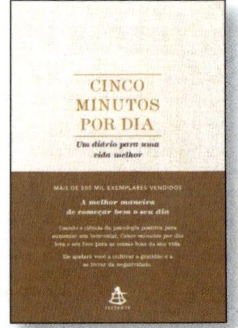

40 mil livros
vendidos no Brasil

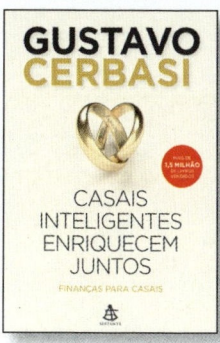
1,5 milhão de livros vendidos no Brasil

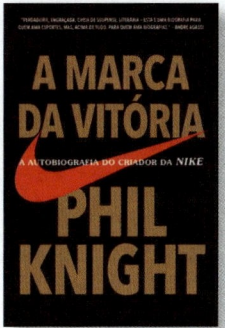
80 mil livros vendidos no Brasil

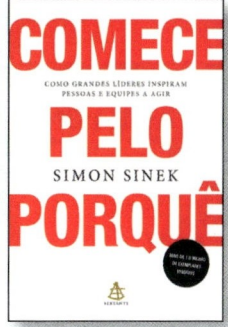
1,6 milhão de livros vendidos no mundo

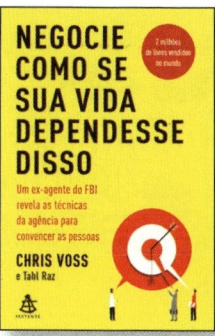
2 milhões de livros vendidos no mundo

5 milhões de livros vendidos no mundo

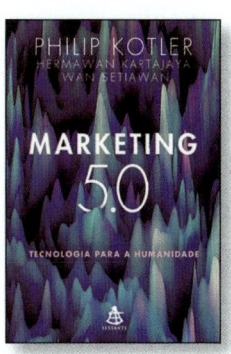
20 mil livros vendidos no Brasil

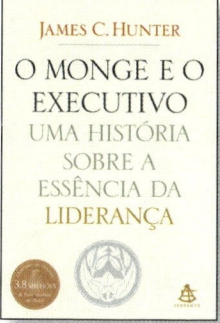
3,8 milhões de livros vendidos no Brasil

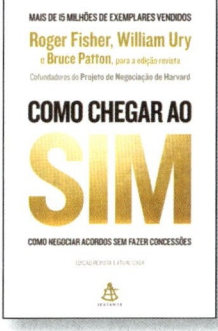
15 milhões de livros vendidos no mundo

8,5 milhões de livros vendidos no mundo

1,7 milhão de livros vendidos no Brasil

1,2 milhão de livros vendidos no Brasil

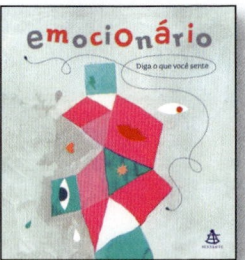
100 mil livros vendidos no Brasil

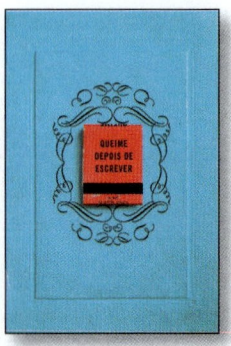
90 mil livros vendidos no Brasil

500 mil livros vendidos no mundo

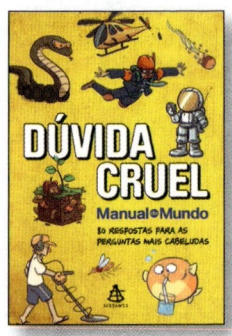
50 mil livros vendidos no Brasil

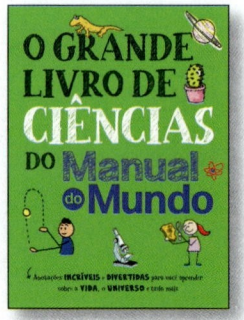
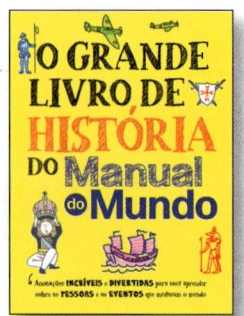
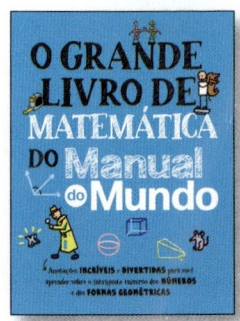

Coleção com mais de 8 milhões de livros vendidos no mundo

10% MAIS FELIZ

10% MAIS FELIZ

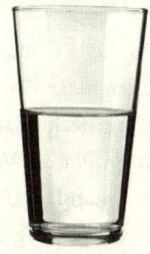

COMO APRENDI
A SILENCIAR A MENTE,
REDUZI O ESTRESSE
E ENCONTREI O CAMINHO
PARA A FELICIDADE —
UMA HISTÓRIA REAL

DAN HARRIS

Título original: *10% Happier*
Copyright © 2014 por Daniel Benjamin Harris
Copyright da tradução © 2015 por GMT Editores Ltda.
Publicado em acordo com Harper Collins Publishers.

Todos os direitos reservados. Nenhuma parte deste livro pode ser utilizada ou reproduzida sob quaisquer meios existentes sem autorização por escrito dos editores.

tradução: Leila Couceiro
preparo de originais: Alice Dias
revisão: Juliana Werneck e Luis Américo
projeto gráfico e diagramação: Valéria Teixeira
capa: Amanda Kain
imagens de capa: copo: Pgiam / Getty Images, gota: Talvi / Shutterstock
adaptação de capa: Ana Paula Daudt Brandão
impressão e acabamento: Cromosete Gráfica e Editora Ltda.

CIP-BRASIL. CATALOGAÇÃO NA PUBLICAÇÃO
SINDICATO NACIONAL DOS EDITORES DE LIVROS, RJ

H26d   Harris, Dan
         10% mais feliz / Dan Harris; tradução de Leila Couceiro; Rio de Janeiro: Sextante, 2015.
         224 p.; 14 x 21 cm.

         Tradução de: 10% Happier
         ISBN 978-85-431-0235-1

         1. Conduta. 2. Felicidade. 3. Autorrealização. 4. Sucesso. I. Título.

15-22937   CDD: 158.1
                                                           CDU: 159.947

Todos os direitos reservados, no Brasil, por
GMT Editores Ltda.
Rua Voluntários da Pátria, 45 – Gr. 1.404 – Botafogo
22270-000 – Rio de Janeiro – RJ
Tel.: (21) 2538-4100 – Fax: (21) 2286-9244
E-mail: atendimento@sextante.com.br
www.sextante.com.br

Para Bianca

Estamos em meio a um evento crucial na evolução da consciência humana, mas isso não vai aparecer no noticiário da TV hoje à noite.

– Eckhart Tolle, guru de autoajuda

Quando você abre a cabeça, entra o lixo.

– Meat Puppets, banda de punk-rock country

Sumário

Nota do Autor 8
Prefácio 9

1. Fome de ar 13
2. Desigrejado 39
3. Gênio ou lunático? 55
4. Felicidade S.A. 71
5. JuBu 80
6. O poder do pensamento negativo 90
7. Retiro 109
8. 10% mais feliz 138
9. A nova cafeína 153
10. Razões egoístas para não ser um babaca 164
11. Esconda o zen 176

Epílogo 196
Agradecimentos 203
Apêndice: Instruções 206

Nota do Autor

Convenientemente para mim, a maioria dos eventos descritos neste livro foram gravados por câmeras de TV ou pelo aplicativo de registro de áudio do meu iPhone. As conversas que não tinham sido gravadas foram reproduzidas de memória e, na maioria dos casos, submetidas à aprovação das pessoas envolvidas. Em alguns trechos, limpei um pouco os diálogos para tornar a leitura mais fluida, ou para dar a impressão de que sou mais inteligente.

Prefácio

Inicialmente, pensei em intitular este livro de *A voz dentro da minha cabeça é uma idiota*. No entanto, esse título não seria apropriado para um autor cujo emprego exige respeito aos padrões de linguajar e decência.

Mas é verdade. Às vezes a voz dentro da minha cabeça é um saco. Aposto que a sua também é assim. Em geral, ficamos tão envolvidos pela conversa incessante que temos com nós mesmos que nem percebemos a existência dessa voz manipuladora. Eu certamente não percebia – até embarcar na estranha odisseia que descreverei neste livro.

Vamos deixar uma coisa clara: não estou falando de "escutar vozes". Estou me referindo à voz do nosso narrador interno, a parte mais íntima de nossa vida. Essa voz começa a berrar assim que abrimos os olhos pela manhã e continua buzinando comentários desagradáveis ao longo do dia. Ela desfia uma lista interminável de urgências, desejos e condenações. Está sempre concentrada no passado ou no futuro, nunca foca o aqui e agora. É ela que nos leva a abrir a geladeira quando não estamos com fome, a explodir de raiva quando sabemos que isso só vai piorar as coisas e a continuar olhando para o computador ou para o celular enquanto conversamos com outra pessoa. Mas claro que essa voz interior não é sempre ruim. Às vezes ela é criativa, generosa ou engraçada. Mas, se não prestarmos atenção, ela pode se transformar num ventríloquo malévolo.

Se, no dia em que cheguei a Nova York para começar minha

carreira em telejornalismo, você dissesse que eu acabaria usando a meditação para neutralizar o poder da voz dentro da minha cabeça (ou que um dia escreveria um livro sobre isso), eu teria rido na sua cara. Até pouco tempo, meditação para mim era coisa apenas de mestres indianos de barbas longas e hippies que não gostam de tomar banho. Além disso, como minha capacidade de concentração é semelhante à de um filhote de labrador, deduzi que jamais seria capaz de praticá-la. Diante do turbilhão constante de meus pensamentos, "clarear a mente" não parecia uma opção possível.

Então aconteceu uma estranha e inesperada série de eventos, envolvendo zonas de guerra, igrejas evangélicas, gurus de autoajuda, Paris Hilton, Dalai Lama e 10 dias de silêncio que, de uma hora para outra, deixaram de ser a experiência mais chata para se tornar a mais profunda da minha vida. Como resultado de tudo isso, compreendi que meus conceitos sobre a meditação estavam completamente equivocados.

A meditação tem um sério problema de marketing, em grande parte porque seus principais expoentes falam como se estivessem o tempo todo acompanhados por uma flauta. Mas, se você conseguir ignorar isso, vai descobrir que a meditação é simplesmente um exercício para o cérebro. É uma técnica muito eficaz para impedir que a voz dentro da sua cabeça assuma o controle. Claro que não é nenhuma cura milagrosa. Não vai torná-lo mais inteligente ou mais bonito, nem resolver todos os seus problemas. Ignore os livros e os gurus que prometem iluminação imediata. Pela minha experiência, afirmo que a meditação pode tornar você 10% mais feliz. É uma estimativa nem um pouco científica, obviamente. Mesmo assim, é um bom retorno para o seu investimento.

Depois de aprender a meditar, a prática vai criar espaço em sua cabeça para que, quando estiver furioso ou irritado, você tenha menos propensão a morder a isca e perder as estribeiras. Aliás, há diversos estudos científicos que comprovam isso – incluindo ressonâncias magnéticas coloridas que demonstram que a meditação é capaz de reorganizar os mecanismos do cérebro.

Essas pesquisas desafiam a crença comum de que nossos níveis de felicidade, resiliência e bondade são determinados quando nascemos. Muitas pessoas acreditam que jamais estarão livres dos traços mais difíceis de sua personalidade – como agressividade, timidez ou tristeza –, pois eles são imutáveis. Felizmente, hoje sabemos que muitos dos atributos que mais valorizamos são, na verdade, *habilidades* que podem ser aprendidas e aperfeiçoadas da mesma forma que se desenvolve a musculatura numa academia de ginástica.

Descobertas como essa nos enchem de esperança e conseguem atrair um novo perfil de praticantes – hoje vemos executivos, atletas e até militares usando a meditação para melhorar o foco, reduzir o vício em tecnologia e controlar suas emoções. Há quem considere a meditação a "nova cafeína". Suspeito que, se ela pudesse ser despida de toda a sua plumagem espiritual, seria mais atrativa para tantas outras pessoas inteligentes, céticas ou ambiciosas que a evitam por acreditar que se trata de uma prática esotérica.

Nos últimos quatro anos, tenho testado a eficácia da meditação em um dos ambientes mais competitivos que se pode imaginar: a TV. E pude comprovar que funciona. Mais do que isso, ela pode trazer uma vantagem real – e torná-lo uma pessoa melhor nesse processo. Como você verá, cometi alguns erros embaraçosos ao longo do caminho. Mas, ao conhecer a minha experiência, você poderá evitá-los.

O que pretendo fazer neste livro é desmistificar a meditação e mostrar que, se deu certo para mim, pode dar certo para você também. E a melhor forma de ilustrar isso é lhe dar "acesso exclusivo" à voz dentro da minha cabeça. Todos nós lutamos para conseguir um equilíbrio entre a imagem que mostramos ao mundo e a nossa realidade interior. Isso é especialmente difícil para um apresentador de telejornal, cujo trabalho exige projetar sempre calma, confiança e – quando apropriado – alegria. Na maior parte do tempo, minha aparência externa é autêntica; geralmente sou um cara feliz e tenho consciência de quanto sou afortunado. Mas é claro que há momentos em que minha realidade interior é mais sombria. E, para que este livro tenha o efeito desejado, vou colocar uma lente de aumento diretamente sobre essas situações difíceis.

A história começa durante um período em que minha voz interior ficou fora de controle. Foi bem no início da carreira; eu era um repórter novato, ávido e curioso que acabou se deixando levar pela ambição – e tudo culminou no momento mais humilhante de toda a minha vida.

Capítulo 1
Fome de ar

De acordo com os dados de audiência do instituto Nielsen, mais de 5 milhões de pessoas me viram enlouquecer.

Isso aconteceu em 7 de junho de 2004, no programa matinal de variedades e notícias da rede ABC, *Good Morning America*. Eu estava usando minha gravata nova favorita e uma grossa camada de maquiagem. Meu cabelo estava arrumadinho demais e ostentava um topete de gosto duvidoso. A direção havia pedido que eu substituísse minha colega Robin Roberts naquele dia como leitor de notícias. Teria que aparecer de hora em hora fazendo um resumo das manchetes mais importantes.

Eu estava sentado no lugar de Robin, uma mesa pequena no segundo andar do estúdio da ABC, situado na Times Square, em Nova York. No outro lado da sala, na bancada principal, estavam os apresentadores do programa, Charles Gibson e Diane Sawyer.

Charlie passou a bola para mim: "Agora vamos com Dan Harris, da redação. Dan?" Naquele momento, eu deveria narrar ao vivo os vídeos de seis notícias, com cerca de 20 segundos cada.

No início correu tudo bem. "Bom dia, Charlie e Diane. Obrigado", disse eu, na minha melhor voz de âncora matutino.

Então, bem no meio da narração da segunda matéria, aconteceu. De repente, eu me senti como se tivesse levado uma facada no cérebro. Fui tomado de um medo irracional. Uma onda de pânico paralisante bateu nas minhas costas, subiu pela minha cabeça e encharcou meu rosto. O universo estava desmoronando em mim. Minha mente começou a galopar. Minha boca secou. Minhas mãos suavam.

Eu sabia que ainda precisava ler mais quatro reportagens, sem intervalo, sem ter alguma vinheta já gravada e sem poder dar a palavra a algum repórter na rua – isso teria ajudado a me recompor.

Mas ao começar a ler a terceira notícia, que falava sobre medicamentos para redução do colesterol, fui perdendo a capacidade de falar e fiquei sem fôlego, enquanto lutava internamente contra aquela onda de terror. Todo o pavor era amplificado pela consciência de que aquilo estava sendo transmitido ao vivo.

Você está em rede nacional.
Isso está acontecendo ao vivo.
Todo mundo está vendo isso, cara.
Faça alguma coisa. FAÇA alguma coisa.

Tentei prosseguir apesar de tudo, mas o resultado foi sofrível. A transcrição oficial daquele trecho mostra como fui caindo rapidamente na incoerência:

"Pesquisadores afirmam que as pessoas que tomam remédios à base de estatinas para reduzir colesterol há pelo menos cinco anos também podem reduzir o risco de câncer, mas é cedo demais para... receitar estatinas devagar para a produção de câncer."

Foi nesse ponto – logo após fazer referência à "produção de câncer", com o rosto sem cor se contorcendo em tiques – que tentei pensar em algo drástico para tentar sair daquela situação.

Meu colapso ao vivo na TV foi consequência direta de uma longa fase agindo de forma impulsiva e automática, num período em que eu só pensava em progredir na carreira e viver aventuras.

Tudo começou em 13 de março de 2000 – meu primeiro dia na rede de TV americana ABC.

Aos 28 anos, vestindo um terno transpassado que não me caía bem, eu estava apavorado quando atravessei o imponente hall de entrada do prédio da ABC, no Upper West Side de Manhattan. Olhando as paredes decoradas com fotografias dos astros do jornalismo do canal, como Peter Jennings, Diane Sawyer e Barbara Walters, me dei conta de que, a partir daquele momento, eles seriam meus colegas de trabalho.

Antes de qualquer coisa, fui mandado para a sala da segurança, no subsolo, onde tiraram a foto para o meu crachá. Eu parecia tão novinho na fotografia que um colega brincou dizendo que, se ampliassem o enquadramento da imagem, apareceria o balão que eu estava segurando.

Às vezes eu tinha a impressão de que só havia sido contratado pela ABC por conta de um mal-entendido. Nos sete anos anteriores, enquanto eu labutava nas redações de telejornais locais, meu sonho sempre fora chegar à rede nacional, mas imaginei que isso só aconteceria quando tivesse uns 40 anos e finalmente perdesse minha cara de bebê.

Comecei a trabalhar em telejornalismo assim que saí da faculdade, com o vago objetivo de construir uma carreira com um certo glamour e que não exigisse conhecimentos de matemática. Meus pais eram médicos, mas eu não tinha a aptidão nem a capacidade de concentração necessárias para estudar medicina. Então, apesar da apreensão inicial deles, acabei aceitando um emprego na filial da NBC em Bangor, no estado do Maine (um dos menores mercados de TV do país). O trabalho era em meio expediente, pagava uma miséria e consistia em escrever o texto a ser lido pelo apresentador e depois operar a câmera durante a transmissão do jornal. No meu primeiro dia, o produtor que deveria me treinar nem se deu o trabalho de se levantar da cadeira; apenas parou de datilografar em sua máquina de escrever elétrica, olhou para mim e anunciou: "Este não é um emprego glamouroso." Ele estava certo. Eu escrevia sobre incêndios em depósitos de pneus e nevascas na área rural, morava num apartamento minúsculo no sobrado de uma idosa e comia macarrão quase todas as noites – sim, isso não tinha nada de sexy. Mesmo assim, eu me apaixonei imediatamente por aquele trabalho.

Depois de alguns meses implorando a meus chefes que me colocassem diante das câmeras, eles acabaram cedendo e me tornei repórter e apresentador do jornal, embora mal tivesse completado 22 anos. Em pouco tempo, soube que essa era a carreira que eu queria para o resto da minha vida. Achava fascinante a arte e o desafio de escrever matérias que seriam depois apresentadas em voz alta, em perfeita harmonia com as imagens. Adorava investigar histórias obscuras, mas importantes, para então criar a melhor forma de ensinar aos espectadores algo que poderia lhes ser útil. Acima de tudo, sentia um prazer enorme em ter permissão para fazer perguntas atrevidas a pessoas ilustres.

Mas o telejornalismo é um animal traiçoeiro. Por um lado, permite fiscalizar interesses públicos e usar o poder da mídia para fazer o bem, por outro, faz seu ego crescer de forma irracional. Se as pessoas já ficam felizes quando aparecem por alguns segundos na TV, imagine ganhar a vida fazendo isso.

Até certo ponto, meu antigo produtor estava certo, pois grande parte do trabalho de um repórter de TV – aguentar entrevistas coletivas intermináveis, passar horas dentro da van de transmissão ao vivo junto com um cameraman mal-humorado, ir atrás de policiais para obter declarações – não tem mesmo nenhum glamour. Mas à medida que eu ia sendo transferido para emissoras maiores, melhorando meu salário e fazendo matérias mais relevantes, a emoção visceral de ser reconhecido na rua ficava cada vez mais intensa.

Sete anos depois daquele primeiro emprego em Bangor, estava trabalhando num canal de notícias 24 horas em Boston quando recebi um telefonema sinalizando que eu estava perto de realizar meu sonho. Meu agente me contou que executivos da ABC News tinham assistido a algumas matérias minhas e queriam conversar comigo.

Fui contratado para ser o segundo apresentador de um telejornal descontraído chamado *World News Now,* que vai ao ar das duas às quatro da manhã. O público consistia basicamente de insones, mulheres amamentando e universitários que não conseguiam dormir pelo efeito de energéticos. No entanto, no dia que deveria ser a minha estreia na função – em março de 2000 –, Anderson Cooper, o cara que eu deveria substituir, decidiu que ainda não estava na hora de sair do programa. Sem saber o que fazer comigo, os diretores me deram a oportunidade de fazer algumas reportagens para a edição de fim de semana do telejornal da noite, *World News Tonight.* Foi a melhor coisa que poderia ter acontecido naquele momento. Minhas matérias seriam vistas por milhões de pessoas no país todo! Depois fui convidado a fazer minha primeira matéria para o telejornal do horário nobre em dia de semana, cujo âncora era Peter Jennings.

Jennings era o meu ídolo. Todo o meu estilo diante das câmeras era inspirado nele. Eu havia estudado com afinco o intricado balé que ele fazia – uma mistura magistral de inclinações na bancada, acenos de cabeça e sobrancelhas arqueadas. Eu admirava sua capacidade de ser sério e elegante, mas ao mesmo tempo demonstrar emoção na dose certa, sem pieguice. Ele era o colosso que dava prestígio ao jornal da ABC News e era temido por muitos na emissora. Eu ainda não o encontrara pessoalmente, mas já havia ouvido histórias sobre seu temperamento vulcânico. Devido a sua reputação de "devorar os novatos", os diretores do programa marcaram minha primeira participação para um feriado de 4 de julho, quando Jennings estaria de folga.

Minha matéria era sobre aposentados que trabalhavam como salva-vidas no verão. Quando a reportagem foi ao ar, os produtores pareceram muito satisfeitos, mas eu não fazia ideia do que Jennings achara – isso se ele tivesse assistido ou soubesse da minha existência.

Algumas semanas depois, eu estava no apartamento que dividia com meu irmão mais novo, Matt, quando o telefone fixo, meu celular e meu pager começaram a tocar ao mesmo tempo. Olhei o número: era da editoria do *World News Tonight*, onde Peter e seus produtores mais experientes decidiam o programa da noite. Liguei de volta e a jovem assistente me pediu que esperasse um momento. Então um homem começou a falar no outro lado da linha: "Temos que começar a cobrir o candidato Ralph Nader. A campanha dele à presidência está crescendo. Você pode fazer isso?" Olhei para o Matt, movimentando os lábios sem emitir som: "Acho que é o Peter Jennings!"

No dia seguinte, eu estava num avião a caminho de Madison, Wisconsin, para entrevistar Nader e enviar a reportagem para o jornal daquela noite. Foi um processo frenético e aterrorizante, principalmente porque, na última hora, Peter pediu uma série de mudanças no texto que eu havia escrito. A matéria saiu, só que foi bem curta. Quando voltei para o hotel, vi que Peter havia me mandado um e-mail dizendo "Me liga". Então eu liguei. Imediatamente. Esperava que ele fosse me dar uma bronca daquelas e criticar meu texto medíocre, mas a primeira coisa que ele disse foi: "Use camisas mais claras."

Isso selou o meu destino na emissora. Nos cinco anos seguintes, Peter foi meu mentor e, às vezes, meu tormento. Ser âncora do telejornal da madrugada já não era mais uma opção. Contra todas as probabilidades, eu havia me tornado um dos repórteres correspondentes. Ganhei cartões de visita e meu primeiro escritório – no quarto andar do prédio, onde ficavam outros cinco correspondentes, todos muito mais velhos do que eu. Um dia, pela manhã, pouco depois de me instalar, saí do elevador e vi os repórteres cochichando. Nenhum deles falava comigo. Eu ficava constrangido e um pouco intimidado, mas, se esse era o preço para chegar àquele ponto da carreira uma década antes do esperado, valia totalmente a pena.

Trabalhar com Peter era como colocar a cabeça na boca do leão: emocionante, mas um tanto perigoso. Ele era assustador por três razões: era bem maior que eu, tinha bruscas e imprevisíveis variações de humor e era um ídolo nacional. E parecia ter um prazer especial em me fazer passar vergonha, de preferência na frente do maior número possível de pessoas. Peter era um editor perfeccionista que sempre fazia mudanças no último minuto, levando produtores e repórteres a uma correria desesperada para reescrever tudo a tempo. Todo jornalista novo na emissora passava por um penoso processo de iniciação, que incluía obedecer às suas diversas regras nem sempre racionais: não podíamos começar uma frase com "mas"; dizer "por exemplo"; e nunca, jamais, usar a expressão "enquanto isso".

O padrão de excelência de Peter, no entanto, não tinha nada de arbitrário. Ele amava seu trabalho, honrava a confiança do público e era um questionador nato, por isso esperava que seus repórteres agissem da mesma forma. Na primeira – e única – vez que ele me devolveu um texto sem uma só marca de sua caneta, eu guardei o papel de lembrança.

Embora eu mal pudesse acreditar na minha ascensão na ABC News, não iria desperdiçar a oportunidade. Em pouco tempo superei a fase do "Puxa, como me deixaram passar pela porta de entrada?" e comecei a definir minha estratégia para enfrentar aquele ambiente feroz, em que os vários programas, âncoras e executivos competiam uns com os outros o tempo inteiro.

Meu *modus operandi* foi herdado do meu pai, cujo lema era: "O preço da segurança é a insegurança." Desde cedo, aprendi a levar isso ao pé da letra. Para mim, descobrir o equilíbrio entre estresse e felicidade era a grande charada da vida. Por um lado, eu estava totalmente convencido de que a manutenção do sucesso dependia de uma hipervigilância permanente. Concluíra que esse tipo de comportamento deveria ser uma adaptação evolutiva – homens das cavernas que se preocupavam com possíveis ameaças, reais ou imaginárias, provavelmente sobreviviam por mais tempo. Por outro lado, tinha plena consciência de que, se esse tipo de insegurança e preocupação prolongava a vida, também a tornava menos prazerosa.

A partir do momento que comecei a trabalhar na ABC, no entanto, qualquer tentativa de encontrar um equilíbrio voou pela janela. Eu era bem mais jovem e muito menos experiente do que todos os meus colegas. Tinha que trabalhar três vezes mais para provar que era bom, diante do ceticismo total deles. Uma noite, enquanto esperava diante da câmera para fazer minha entrada ao vivo no programa de Peter, o produtor executivo falou pelo meu fone de ouvido: "Você parece estar posando para fotos do seu *bar mitzvah*." Para compensar isso, eu vivia sugerindo matérias, fazia uma autocrítica impiedosa de meu trabalho e estava disposto a abrir mão de feriados e fins de semana – mesmo quando isso significava perder eventos importantes, como casamentos de amigos e reuniões de família – para conseguir uma inserção no ar.

Isso porque conseguir emplacar uma reportagem não era fácil. Toda noite, o *World News* apresentava seis ou sete matérias dos correspondentes, a maioria vinda dos jornalistas que cobriam áreas importantes, como a Casa Branca. Enquanto isso, cerca de cinquenta outros repórteres competiam pelo espaço restante.

Durante o primeiro ano, minha estratégia foi produzir matérias secundárias, que apareciam depois do primeiro intervalo comercial do programa. Achei que, diante da competição intensa para cobrir as principais notícias do dia, esse era o melhor caminho para conseguir mais tempo no ar. Eu fazia matérias bastante variadas, indo do *boom* das empresas de internet à polêmica da recontagem dos votos da eleição presidencial entre George Bush e Al Gore.

Passado esse primeiro ano, Peter me chamou a seu escritório para discutir um novo projeto para mim. Ele estava sentado diante de sua imponente mesa de madeira escura, enquanto eu afundava desconfortavelmente num sofá macio que parecia ter sido obra da mesma pessoa que inventou instrumentos de tortura na Idade Média. Então ele anunciou algo ao mesmo tempo inesperado e indesejável: queria que eu passasse a cobrir a editoria de religião. Essa área era importantíssima para Peter, que já havia colocado no ar dois especiais sobre Jesus e São Pedro, ambos em horário nobre. Ele também havia sido responsável pela contratação da primeira correspondente de religião da história do jornalismo no país, Peggy Wehmeyer. Mas Peggy estava deixando o posto e, teoricamente, eu assumiria o seu lugar. Tentei protestar de forma bem-humorada, dizendo que eu era um ateu devoto – não tive coragem de dizer que não tinha o menor interesse no assunto –, mas ele não quis saber. Estava decidido. Fim de papo.

Meses depois, eu estava dentro de um pequeno avião no aeroporto de Fort Wayne, Indiana, depois de fazer uma reportagem sobre grupos jovens em igrejas, quando um passageiro sentado num dos primeiros assentos desligou o celular, virou-se para trás e anunciou que as Torres Gêmeas estavam pegando fogo. Era 11 de setembro de 2001, e de repente todos os aviões civis do país estavam proibidos de decolar. Eu não poderia voltar para Nova York. Então meu celular tocou. A chefia da emissora me mandava arranjar um jeito qualquer de chegar a Shanksville, na Pensilvânia, onde o voo 93 da United havia sido derrubado depois que os passageiros lutaram contra os terroristas que dominavam o avião.

Desembarquei, aluguei um carro e, ao lado do meu produtor, iniciei uma jornada de quase 650 quilômetros. Passei aquelas sete horas no carro experimentando um sofrimento estranho, novo e confuso. Como todos os americanos, eu estava furioso e assustado. Mas também sentia uma pontada de frustração egoísta: essa provavelmente seria a história mais importante da minha vida e eu ali, dirigindo um sedan, sem poder fazer nada. Peter com certeza estaria desempenhando com perfeição seu papel de esclarecer e confortar o espectador, e me senti fisicamente mal por não fazer parte do time que havia ido para as ruas apurar as notícias e explicar os acontecimentos para o país. A partir daquele momento, as matérias secundárias não bastariam mais para mim.

Fiz a reportagem na Pensilvânia naquela noite e depois dirigi de volta até Nova York, praticamente me mudando para um hotel a poucos quarteirões do Marco Zero. A polícia havia isolado a maior parte da cidade e, como eu morava e trabalhava na área de Uptown, a única maneira de fazer reportagens sobre os desdobramentos do atentado era ficar hospedado ali perto. O hotel, geralmente cheio de turistas elegantes bebericando coquetéis, agora estava assustadoramente deserto. O ambiente chique contrastava de forma cruel com a minha missão de cobrir o ataque terrorista mais violento já ocorrido em solo americano.

Algumas semanas depois, de volta ao meu escritório quando a cobertura do atentado às Torres Gêmeas começava a diminuir, recebi uma ligação do pessoal da Editoria Internacional. A voz do outro lado da linha disse: "Você vai ter que ir para o Paquistão." Uma onda de dopamina dominou meu cérebro e comecei a pular pela sala como um louco.

Como era de se esperar, foi com essa série de atitudes idiotas que dei início ao período mais perigoso e formativo da minha vida. Mergulhei de cabeça no que acabaria se tornando uma aventura de vários anos, durante a qual conheci lugares e coisas que jamais poderia ter imaginado quando era aquele repórter iniciante em Bangor. Eu estava flutuando num mar de adrenalina, inebriado por estar na TV e cego para as possíveis consequências psicológicas disso.

Quando embarquei no voo para Islamabad, no dia seguinte ao telefonema da Editoria Internacional, eu não tinha ideia do que me esperava. Ao chegar, a área da esteira de bagagens estava lotada de passageiros de olhar exausto, policiais entediados e carregadores de malas suados com seus uniformes marrons, prontos para tirar proveito de algum turista. Eu era o único ocidental ali. Um motorista me esperava, segurando um cartaz com o meu nome. Lá fora, o ar estava enevoado, quente e cheirava ligeiramente a pneu queimado. A rodovia estava congestionada com imensos caminhões de carga, pintados com cores chamativas e cujos motoristas não paravam de apertar a buzina. Nunca havia me sentido tão longe de casa.

Então cheguei ao hotel. Para minha surpresa, era um Marriott, e dos melhores – muito maior e mais elegante do que a média dessa rede nos Estados Unidos. Deixei minhas malas na recepção e fui direto para a suíte presidencial, onde a equipe da ABC estava trabalhando. Era a primeira vez que eu encontrava a maioria daqueles profissionais. Muitos vinham da sucursal de Londres – correspondentes destemidos, veteranos de coberturas de guerras como as da Bósnia ou de Ruanda. Eles pareciam totalmente à vontade com a dissonância cognitiva de estar num país perigoso e pobre, onde funcionários uniformizados do hotel vinham duas vezes por dia nos trazer biscoitos e nozes embrulhados em papel--celofane.

As coisas começaram a ficar mais emocionantes rapidamente. Em poucos dias, soube que havíamos sido convidados pelo Talibã, que ainda dominava o Afeganistão, para visitar a sua sede em Kandahar e observar suas operações. A princípio, parecia uma ideia altamente estúpida – entrar em território inimigo como convidado do próprio inimigo –, e isso provocou um animado debate entre nossa equipe quando nos reunimos para decidir o que fazer. Escutei todas as opiniões, pesei prós e contras, mas já tinha tomado a minha decisão: não havia a menor possibilidade de eu perder aquela matéria.

Tentei ligar para minha mãe para dar a notícia antes que ela descobrisse pela TV, mas não consegui contactá-la no hospital onde trabalhava. Então fiz a besteira de telefonar para o meu pai, que é muito mais emotivo. Quando contei o plano, ele começou a chorar. Ao ouvir o silêncio do outro lado da linha, cortado apenas pelo som do meu pai respirando fundo e tentando se recompor, minha empolgação deu lugar ao remorso. Até aquele momento, eu estava pensando somente no que aquela experiência significaria para mim; não havia considerado o inferno que seria para minha família.

Naquela noite eu me senti tão culpado – e, para ser franco, tão assustado – que não consegui dormir. No dia seguinte, junto com o pequeno grupo de repórteres, embarquei num ônibus em direção ao desconhecido. Após uma viagem longa e desconfortável pela estrada de terra que atravessa o sul do Afeganistão, chegamos de madrugada a um complexo de prédios do governo que o Talibã ocupara na periferia de Kandahar. Ataques aéreos americanos haviam cortado a energia e a cidade estava às escuras. Imediatamente fomos até o terraço de um dos prédios, estabelecemos um sinal de satélite e fizemos contato com Peter Jennings, que lá de Nova York me fazia perguntas sobre a nossa jornada. Depois de falar comigo, ele fez questão de ligar para os meus pais e avisar-lhes que eu estava bem.

Os três dias seguintes passaram como um borrão, cheios de

cenas surreais. Éramos levados de um lugar para outro por homens fortemente armados. Na maior parte do tempo, eles nos mostravam apenas o que queriam que víssemos, como os edifícios que foram bombardeados por aviões americanos, onde supostamente haviam morrido civis inocentes. Mas foi o comportamento dos talibãs quando a câmera estava desligada que mais me impressionou. Tirando os comandantes, que participavam dessa encenação propagandística, os soldados eram até amigáveis e tranquilos. Não passavam de meninos, na verdade. Alguns nos ensinaram a falar palavrões na língua deles. Um dos rapazes murmurou no meu ouvido: "Me leva para a América."

Incluí muitas dessas observações curiosas em minhas matérias e recebi e-mails elogiosos dos editores – algo perigoso para o ego de um jovem repórter em ascensão. Peter estava se referindo a mim no ar como "nosso homem no Afeganistão". Minha equipe de filmagem, composta por dois ingleses, vivia implicando comigo, dizendo que eu seria um "pentelho insuportável" quando voltasse para casa.

Foi nessa viagem que experimentei pela primeira vez o que chamo de "heroína jornalística": a emoção de estar num lugar onde você não deveria estar e não só sair ileso como também mostrar isso na televisão. Fiquei viciado.

Mas, quando pisei em solo americano, nem tive tempo de aproveitar minha fama. Fui recebido com um repúdio público pelo jornal *The New York Times*. Uma crítica do caderno de Artes considerou a minha cobertura morna e ingênua. Foi um balde de água fria no meu ego. Eu discordava totalmente da opinião dela, mas muitos dos meus colegas, não. Aquele artigo fortaleceu a impressão de que eu era verde demais para aquele trabalho. Para o pessoal da redação, deixei de ser o herói para me tornar um pateta.

Semanas depois, resolveram me dar uma segunda chance e fui mandado para Tora Bora, onde Osama bin Laden estava escondido. No táxi, a caminho do aeroporto, recebi um telefonema do Peter. Ele me disse que o consenso era que minha atuação no Paquistão havia deixado a desejar e que dessa vez eu realmente precisaria provar minha competência. Passei a maior parte do voo em posição fetal.

Em Tora Bora não havia um Marriott. Assim que chegamos, demos um dinheiro a um plantador de ópio para que ele nos deixasse dormir em uma de suas cabanas de barro, que ficava no meio de um campo de papoulas coberto pela geada. Havia um boi enorme e fedorento bem na porta do nosso casebre. E todo dia, quando voltávamos para jantar, havia uma galinha a menos correndo no quintal.

Nessa missão, consegui me redimir. Principalmente por causa de uma cena que aconteceu quando eu estava gravando um *stand-up* (matéria em que apenas o repórter aparece, falando diretamente para a câmera). Enquanto narrava a notícia, ouvi um barulho lá no alto, que parecia um assobio. Como nunca havia escutado o som de tiros de perto, levei alguns segundos para entender o que estava acontecendo, e então me joguei no chão. Não havia nada de "morno e ingênuo" naquilo. Meus chefes se deliciaram.

No entanto, houve duas coisas embaraçosas naquele momento. Primeiro, um exame cuidadoso do vídeo revelava que nenhum dos afegãos enquadrados pela câmera se abaixou ou pareceu se assustar. Segundo, o primeiro pensamento que me veio enquanto a bala passava sobre minha cabeça foi: "Espero que a câmera esteja gravando isto."

Era algo novo para mim. Se eu tivesse ouvido tiros numa situação normal, em que não estivesse trabalhando, teria mijado nas calças. Nunca fui corajoso na minha vida pessoal. Não servi o exército nem pratiquei esportes violentos. Mas, quando faz uma reportagem, você se sente como se fosse à prova de bala. É como se houvesse um escudo invisível entre você e o mundo. No contexto da guerra, minha preocupação foi totalmente superada pelo desejo de fazer uma grande reportagem.

A operação em Tora Bora foi um desastre militar – Bin Laden aparentemente conseguiu fugir dali por uma trilha até atravessar a fronteira com o Paquistão –, mas para minha carreira foi uma espécie de ressurreição. Ao recuperar a confiança dos meus superiores, passei os três anos seguintes entre a sede em Nova York e zonas de guerra como Israel, Faixa de Gaza, Cisjordânia e Iraque.

Nessas viagens, fui exposto a cenas grotescas. Em Israel, após um ataque terrorista, vi quando a brisa do mar levantou um pano branco estendido no chão, revelando uma fileira de pernas de gente morta. Na Cisjordânia, assistindo a uma escavadeira jogar cadáveres numa vala comum, vi um homem soltar um grito de horror ao ver o próprio filho sendo jogado nela.

Embora não tivesse conseguido me segurar diante do pai que chorava, afastando-me da câmera com um nó na garganta, fiquei surpreso com minha reação diante dos horrores da guerra – na verdade, com a minha *falta* de reação. Não me sentia muito abalado. Convencera a mim mesmo de que esse tipo de distanciamento era pré-requisito para o meu trabalho, assim como os médicos do seriado *M*A*S*H* conseguiam fazer piadas enquanto operavam os soldados feridos na guerra do Vietnã. Achava que a isenção emocional do repórter servia a um propósito maior, permitindo que fosse mais eficiente ao transmitir as informações mais importantes. Se eu ficasse arrasado toda vez que visse algo perturbador, como poderia exercer a minha função?

Ao voltar para casa, as pessoas me perguntavam se as minhas experiências como correspondente teriam provocado alguma "mudança" em mim. Minha resposta era automática: "Não." Eu ainda era o mesmo; apenas havia conseguido um lugar na primeira fila para assistir à História. Meus pais estavam preocupadíssimos com a possibilidade de eu ficar traumatizado pelo que via, mas não me sentia sofrendo qualquer trauma. Pelo contrário: eu adorava ser correspondente de guerra. Os seguranças e os carros blindados me levavam para os lugares como se eu fosse um chefe de Estado. Gostava de como o colete à prova de balas fazia o meu corpo franzino parecer mais forte na televisão. Numa zona de guerra, as regras são suspensas: você ignora sinais de trânsito, limites de velocidade e gentilezas sociais. Há uma sensação ilícita e energizante, como estar sozinho na rua durante um apagão ou uma nevasca.

Mas meu apego não era apenas pela adrenalina do perigo: eu realmente acreditava na relevância do que estava fazendo. Saber que a causa era importante dava mais sentido ao risco que eu corria. Por ambas as razões – emoção e sentido –, me envolvi voluntariamente nas famosas batalhas da emissora para continuar cobrindo os eventos principais. Para quem não é do meio, pode parecer que os jornalistas passam a maior parte do tempo competindo com profissionais de outras emissoras. Na verdade, gastamos mais energia na competição com nossos próprios colegas.

Se no início eu não via problema em deixar os jornalistas veteranos brigarem pelas grandes histórias, agora lutava por espaço também. Embora essa briga interna fosse sinal de uma organização saudável e vibrante, ela era altamente estressante. Eu me comparava com os outros repórteres o tempo inteiro e mal conseguia assistir ao noticiário quando algum colega brilhava na TV.

No fundo, eu acreditava que essa era a natureza da minha profissão. A grande dádiva de ser jornalista é poder testemunhar de camarote os principais eventos do mundo, interagindo com seus protagonistas, sentindo o gosto dos acontecimentos. Mas a grande maldição é que a gente acaba encarando esses eventos através das lentes do próprio interesse. Quando acontece uma tragédia, tudo o que você pensa é: *Quero cobrir essa matéria.*

Nesse ambiente de intrigas e estresse, eu às vezes deixava a raiva me dominar – uma tendência que eu tinha desde cedo. Quando era um âncora iniciante em Boston, uma vez joguei os papéis da minha mesa para cima durante o intervalo comercial, para expressar minha frustração com um problema técnico na transmissão. Em seguida, meu chefe me chamou e disse: "As pessoas não gostam de você." Fiquei com tanto medo de ser odiado e perder o emprego que me obriguei a melhorar meu comportamento. Mas ainda tinha que me aperfeiçoar muito mais. Eu costumava ser ríspido com meus colegas e, em alguns momentos, era completamente estúpido.

Em julho de 2003, depois de uma temporada de cinco meses como correspondente no Iraque, voltei para casa. O porteiro do prédio olhou para mim e tive impressão de que ele estava com dificuldade de lembrar o meu nome. Fui puxando a minha mala de rodinhas pelo corredor do 14º andar e abri a porta da "minha casa", onde mal havia parado nos últimos dois anos. Eu ainda cobriria alguns eventos internacionais, mas os editores haviam decidido que eu deveria me concentrar nos assuntos internos, como a eleição presidencial de 2004, e depois fazer um teste para ver como me sairia na bancada do telejornal.

Enquanto isso, minha vida pessoal era terra arrasada. No tempo em que estive viajando, minhas poucas amizades haviam evaporado. As pessoas da minha idade estavam amadurecendo, montando casa, tendo filhos. Eu, por outro lado, acabara de terminar um tórrido e curto relacionamento com uma jornalista espanhola que conhecera no Iraque. Estava tão obcecado pelo trabalho que a estabilidade romântica não estava na minha lista de prioridades.

Pouco depois da minha volta, fiquei com os sintomas de uma doença misteriosa, como uma virose. Sentia cansaço, dores e frio o tempo todo e mal conseguia sair da cama. Sempre fui um pouco hiponcondríaco, mas aquilo era diferente. Meses se passaram e eu não melhorava. Fiz exames para ver se era alguma doença tropical, febre maculosa ou HIV. Até levantamos a hipótese de síndrome de fadiga crônica.

Como todos os exames deram negativo, cismei que meu apartamento devia ter um vazamento de gás e paguei uma quantia exorbitante para confirmar minhas suspeitas. Negativo também. Se nenhum médico conseguisse diagnosticar meu problema, eu teria que admitir que estava ficando maluco.

Quando finalmente resolvi procurar um psiquiatra, ele levou cinco minutos para dar seu veredicto: depressão. Que absurdo. Garanti ao médico que não me sentia nem um pouco triste. Ele então explicou que era perfeitamente possível estar deprimido sem ter consciência disso. Quando você se afasta de suas emoções, ele disse, elas muitas vezes se manifestam em seu corpo.

Foi uma lição de humildade para mim. Sempre achei que conhecia muito bem a mim mesmo. Minha mente, uma máquina permanentemente planejando e avaliando tudo, tinha deixado de notar algo essencial. O psiquiatra levantou algumas teorias sobre a raiz do meu problema. Talvez o horror que eu testemunhara como correspondente fosse mais do que meu subconsciente conseguia suportar. Também era possível que eu estivesse inconscientemente sentindo falta da adrenalina das zonas de guerra – ou seja, eu estaria sentindo uma espécie de síndrome de abstinência da heroína jornalística. Ou talvez fosse uma combinação das duas hipóteses. Ele recomendou que eu tomasse antidepressivos. Infelizmente, eu já havia começado a me automedicar.

Consegui passar pelo ensino médio e pela universidade sem experimentar drogas pesadas, ainda que vários dos meus amigos fossem usuários. Álcool e um pouco de maconha, sim, mas nada além disso. Nunca havia sequer sentido vontade de provar – ou, para ser honesto, eu tinha era medo. Em algumas ocasiões, a maconha tinha me deixado tão paranoico que eu sentia como se estivesse encarcerado numa espécie de Mordor interior. Imaginei que drogas mais fortes fossem perigosamente piores do que isso.

No entanto, àquela altura da minha vida, a doença psicossomática havia me deixado enfraquecido e perdido. Uma noite, aceitei o convite de um colega do trabalho para ir a uma festa. Estávamos no apartamento dele, para tomar um drink rápido antes de ir encontrar seus amigos, quando ele me olhou de um jeito maroto e perguntou: "Quer um pouco de cocaína?" Ele já havia me oferecido antes e sempre recusei, mas dessa vez, num impulso, cedi. Ali estava eu, aos 32 anos, ultrapassando de forma impensada um limite que demarcara para mim mesmo havia tanto tempo.

A droga levou cerca de 15 segundos para fazer efeito. No início, foi apenas uma agradável sensação de eletricidade vibrando por meus braços e pernas. Depois senti um gosto horrível de amônia numa secreção que descia do fundo do meu nariz até a garganta. Mas isso não me incomodou, pois veio acompanhado de uma onda de energia eufórica. Após meses exausto e desanimado, eu me sentia normal novamente. Mais que normal: rejuvenescido, recuperado. A seguir veio um ataque de verborragia. Tagarelei sem parar durante a noite toda e uma das coisas que disse foi: "Por que não usei essa droga antes?"

Assim começou o que minha amiga Regina chamou de fase "Cidade em delírio" (inspirada pelo título do livro de Jay McInerney, que conta a história de um rapaz de cidade pequena que se muda para Nova York para tentar sucesso na carreira e começa a frequentar festas e usar drogas). Naquela noite, fiz um monte de novos amigos – que também cheiravam.

Com a cocaína, você nunca consegue se saciar. A droga bate,

o efeito chega ao pico, depois vai se dissipando – e, quando você menos espera, cada célula do seu corpo está gritando por mais uma dose. Uma vez, saí com um amigo que tinha grande experiência – para usar um eufemismo – com drogas e, quando ele já estava querendo ir embora para dormir, insisti para continuarmos acordados e cheirando. Ele olhou para mim, exausto, e disse: "Você tem alma de viciado."

Então eu descobri o ecstasy. Estava com amigos em Nova Orleans e alguém começou a distribuir umas pílulas azuis. Disseram que levaria pelo menos meia hora para eu sentir alguma coisa e, enquanto esperava, caminhei pela cidade. Percebi que a droga tinha começado a fazer efeito quando passamos por um piano-bar onde estavam tocando "Livin' on a Prayer", do Bon Jovi, e a música me pareceu transcendental.

Não podia acreditar que uma pilulazinha pudesse me fazer tão feliz. Era como se meu peito estivesse envolto por chumaços de algodão quentinhos. O simples ato de falar, a mera vibração das minhas cordas vocais, já era uma sensação deliciosa. Andar era uma sinfonia de prazer sensorial, com ondas de euforia derretendo todas as barreiras calcificadas da autoconsciência. Eu até dancei de um jeito que nunca havia dançado antes.

Infelizmente, a dor que vem quando a droga deixa de fazer efeito tem poder proporcional ao seu momento de pico. A realidade retorna à cena a golpes de picareta. Neurologicamente, o custo disso é altíssimo. Um dia depois de tomar ecstasy, os estoques de serotonina no meu cérebro se esgotaram. Fui dominado por uma sensação de vazio que sugava a minha alma. Eu me sentia apenas a carcaça de um homem.

Em parte devido à severidade dos efeitos da ressaca – a cocaína também me deixava mal e com dor no estômago por 24 horas, pelo menos –, eu tomava o cuidado de nunca usar drogas quando tinha que trabalhar no dia seguinte. Restringia meu consumo aos fins de semana e mantinha a abstinência por longos períodos quando precisava viajar a trabalho. A tentação das drogas era poderosa, mas o meu desejo de estar na TV era ainda mais forte. De fato, em um dos anos em que estava usando drogas, fui apontado como o repórter que mais fez matérias em todos os telejornais americanos. Isso serviu apenas para ampliar minha ilusão de ser mestre do universo, convencendo a mim mesmo de que poderia enganar a todos e continuar me drogando.

Claro que, no fundo, eu sabia que estava correndo um risco profissional imenso. Se a chefia descobrisse, eu poderia ser demitido. Mesmo assim, continuei, impelido pelos centros de prazer do meu cérebro, que haviam sequestrado o meu bom senso. Usei drogas até bem depois de ser diagnosticado com depressão. Fui incapaz de ligar uma coisa à outra.

Cada vez mais viciado, comecei a sentir constantes dores no peito, que ficaram tão fortes que me levaram ao pronto-socorro uma noite. A jovem residente que me atendeu disse que o problema provavelmente havia sido causado pela cocaína que, com relutância, acabei admitindo usar. Apesar do conselho dela para eu largar a droga, saí do hospital e fingi que aquele encontro jamais tinha acontecido.

Toda história sobre vício em drogas tem o seu momento "fundo do poço". O meu – ao menos o primeiro – aconteceu naquela manhã quente de junho no estúdio do *Good Morning America*, quando tive aquele ataque ao vivo. Desde que voltara do Iraque, ocasionalmente substituía Robin Roberts, apresentando algumas notícias no meio do telejornal. Era uma oportunidade incrível e eu esperava que ela fosse me levar a algo maior. Como isso acontecia há alguns meses, eu já estava acostumado com a rotina e não tinha nenhuma razão para imaginar que aquela manhã seria diferente. Por isso fiquei tão abalado quando aquele raio de terror se propagou pelas dobras reptilianas do meu cérebro.

Minha mente havia declarado guerra contra mim. Meus pulmões se fecharam e senti muita falta de ar. Eu via as palavras rolando no teleprompter à minha frente, mas não conseguia dizê-las. A cada vez que eu tropeçava no texto, o teleprompter ficava mais lento. Eu podia ver a mulher que operava a máquina e sabia que ela devia estar aflita, sem saber o que estava acontecendo comigo. Por um nanossegundo, em meio ao meu furacão interior, me importei de verdade com o que ela, especificamente ela, poderia estar pensando.

Tentei persistir, mas sem sucesso. Eu estava só, sem nenhuma ajuda, abandonado numa ilha deserta, só que na frente de milhões de pessoas. Então, ao fim da narração sobre os remédios para colesterol e seu impacto na "produção de câncer", decidi apelar para uma manobra que nunca usara antes na TV: passei a bola adiante. Parei de ler as notícias vários minutos antes do tempo, mal conseguindo dizer: "Ah... o noticiário fica por aqui. Agora voltamos com Robin e Charlie." Mas na verdade eu deveria ter dito "*Diane* e Charlie".

Deu para perceber a surpresa na voz de Charlie quando ele retomou a palavra e chamou o homem do tempo, Tony Perkins. Enquanto isso, Diane parecia genuinamente preocupada comigo, olhando várias vezes na minha direção.

Assim que Tony assumiu, Charlie saiu correndo de sua cadeira e veio ver se eu estava bem. Os produtores estavam falando no meu ouvido pelo ponto eletrônico. Auxiliares de palco e operadores de câmera começaram a me cercar. Ninguém parecia saber o que havia acontecido. Provavelmente acharam que eu estava tendo um derrame ou algo do tipo. Eu dizia que não fazia ideia do que houvera. À medida que o pânico ia cessando, no entanto, a sensação de humilhação ia tomando conta de mim. Eu sabia que, depois de passar tantos anos tentando criar uma imagem segura e confiante diante das câmeras, tinha acabado de destruí-la em rede nacional.

Meus superiores demonstraram preocupação sincera pelo incidente. Quando perguntavam o que havia acontecido, no entanto, eu mentia e dizia que não sabia, mas que certamente era algo que não voltaria a se repetir. Eu estava envergonhado e com medo. Achei que, se admitisse a verdade – que havia sofrido um ataque de pânico ao vivo –, seria considerado inapto para apresentar as notícias. Por alguma razão, eles pareceram acreditar em mim. Até hoje, não sei por quê. Talvez porque tenha sido tudo muito rápido ou porque consegui voltar ao ar apenas uma hora depois, sem qualquer problema.

Ainda no estúdio, telefonei para minha mãe. Ela havia assistido ao meu surto e sabia exatamente qual era o problema. Eu estava desesperado, mas a resposta dela, ao mesmo tempo maternal e clínica, me trouxe enorme conforto. Em poucas horas, ela me colocou em contato com um psiquiatra, colega dela no hospital em Boston. Era o segundo terapeuta que eu consultava desde que voltara do Iraque. Não passou pela minha cabeça mencionar que era viciado, já que não tinha usado nada nas semanas anteriores.

Medo de palco parecia uma explicação razoável. Ansiedade de desempenho foi uma coisa que me afetou a vida toda, o que significa que minha escolha profissional foi um tanto irônica. Eu já sofrera alguns episódios de pânico menores antes: em Bangor, em 1993, quase desmaiei quando minha chefe anunciou que eu entraria ao vivo no noticiário pela primeira vez. Mas um ataque daquela magnitude não tinha precedentes. O psiquiatra receitou um medicamento contra ansiedade, que inicialmente manteve minha mente sob controle. Durante uma semana, enquanto meu organismo se acostumava com o remédio, tive uma sensação agradável de estar levemente dopado. Nem mesmo um exército de chimpanzés enlouquecidos armados com tchacos teria abalado a minha calma.

No entanto, mesmo após o incidente continuei me drogando. E foi por isso que, menos de um ano depois, aconteceu de novo. O cenário era basicamente o mesmo: eu estava na bancada do noticiário quando o terror rompeu a barreira do Rivotril antes mesmo que eu começasse a ler as notícias. Os apresentadores me deram a vez de falar e já na primeira era possível ouvir minha voz afinando à medida que minha garganta se apertava, me tirando o ar. Eu ainda teria que ler cinco matérias, sem poder fazer uma pausa ou contar com a ajuda de alguém. Mas estava determinado a ir até o fim.

Tive que parar para respirar melhor em alguns momentos, me esforçando para levantar o rosto em direção à câmera e continuar fazendo meu trabalho. E assim fui até a última notícia, que terminei com uma piadinha sem graça.

Dessa vez não havia um monte de colegas me cercando para ver se eu estava bem. Acho que disfarcei tão bem que ninguém reparou no que tinha acontecido.

Eu me safei novamente, mas tinha plena consciência da situação. Por isso entrei em estado de alerta máximo. Se eu não podia contar com minha capacidade de falar ao vivo – mesmo tomando medicamentos contra ansiedade –, meu futuro profissional estava ameaçado.

Meus pais me recomendaram um novo psiquiatra, considerado o melhor de Nova York para distúrbios de pânico. O Dr. Andrew Brotman era um homem alto e robusto, de uns 50 e poucos anos. No nosso primeiro encontro, ele me fez uma série de perguntas, tentando chegar à raiz do problema. Uma delas foi: "Você usa drogas?"

Um pouco envergonhado, admiti que sim.

Ele se recostou em sua cadeira e me olhou de um jeito que parecia dizer: *Pronto, seu bobão. Resolvemos o mistério.*

Então me explicou que o uso frequente de cocaína eleva os níveis de adrenalina no cérebro, aumentando drasticamente as chances de um ataque de pânico. O que eu senti, segundo ele, foi produzido por uma reação exagerada do mecanismo ancestral de fuga ou luta, a característica evolutiva que ajudava os homens da caverna a escapar de tigres e outros perigos. Só que, no meu caso, eu era o tigre *e* o cara que não queria virar almoço.

O médico decretou de forma categórica que eu deveria parar de usar drogas imediatamente. Diante da possibilidade de arruinar minha carreira, não havia outra escolha. Então decidi que, a partir daquele momento, nunca mais iria me drogar. Não seria necessário frequentar uma clínica de reabilitação, mas eu teria que tomar mais cuidado com minha saúde, fazendo exercícios regularmente, dormindo mais, me alimentando melhor e me abstendo do consumo de álcool.

Sentado no consultório do Dr. Brotman, finalmente me dei conta da magnitude da minha inconsequência: a busca maníaca por mais tempo no ar, as viagens para zonas de guerra sem refletir sobre os impactos psicológicos que isso traria, o uso de cocaína e ecstasy como substitutos sintéticos da adrenalina. Eu me movia como um sonâmbulo em meio a essa enxurrada de comportamentos estúpidos. Agora, contudo, estava claro que precisava fazer grandes mudanças.

Assim, passei a me consultar com o Dr. Brotman duas vezes por semana. No início, o principal tema das nossas conversas eram as drogas. Embora eu não fosse fisicamente viciado, era psicologicamente dependente. Sentia tanta falta de ficar com a mente alterada que essa era a primeira coisa que vinha à minha cabeça de manhã e a última antes de ir para a cama. Alguns dos melhores momentos da minha vida aconteceram enquanto eu estava drogado, portanto a ideia de abandonar o hábito era torturante. Tinha medo de nunca mais me sentir feliz de novo. Algumas amizades tiveram que ser sacrificadas, porque a proximidade de certas pessoas poderia me fazer voltar ao vício. Passei por todos os estágios do luto definidos por Kübler-Ross, incluindo depressão, raiva e negociação, quando tentei convencer o médico a me liberar para usar drogas pelo menos uma vez por mês.

Dava-me algum conforto saber que o meu caso não era uma aberração. Soube de histórias de soldados que voltavam do Iraque e tentavam recriar a adrenalina do combate dirigindo em alta velocidade. Um estudo feito com correspondentes de guerra mostrou altos percentuais de transtorno de estresse pós-traumático, depressão profunda e alcoolismo.

Mesmo nesse contexto, eu ainda não conseguia me conformar por ter deixado a situação chegar àquele ponto, colocando em risco tudo o que havia conquistado com tanto trabalho. Eu estava decepcionado comigo mesmo. Contei ao Dr. Brotman tudo sobre mim, na esperança de que ele descobrisse a raiz do meu comportamento irracional, da minha tendência à preocupação excessiva e do fato de, aos 33 anos, não ter nenhuma pretensão romântica. Mas ele não acreditava em epifanias desse tipo e não poderia formar uma "teoria unificadora". E não conseguiu me convencer.

Ainda assim, o simples fato de conversar com alguém inteligente que me incentivava a largar a cocaína era importantíssimo para minha recuperação. Mas havia outro elemento que, de repente, se tornou decisivo para que eu encontrasse o caminho de volta: um projeto que eu havia desprezado antes, incumbido a mim por Peter Jennings.

Capítulo 2
Desigrejado

Aparentemente do nada, a mulher até então silenciosa de pé ao meu lado começou a disparar uma torrente de palavras ininteligíveis em alto volume:
"*Mo-ta-re-si-co-ma-ma-ra-si-ta!*"
"*Co-xo-to-to-la-la-la-ri-to-ji!*"
Fiquei apavorado. Eu me virei para encará-la, mas a mulher nem percebeu: seus olhos estavam fechados, a cabeça e os braços inclinados em direção ao céu. Levei alguns segundos para entender que se tratava do fenômeno da glossolalia, em que uma pessoa supostamente fala línguas desconhecidas durante um transe religioso.

Olhei ao redor, para aquela megaigreja de 7.500 lugares lotada, e vi que muitas outras pessoas estavam falando línguas estranhas também. Algumas estavam cantando a música animada que uma banda de rock gospel surpreendentemente boa tocava no palco.

Um homem louro, de uns 40 anos, caminhava em meio à multidão, cumprimentando efusivamente os presentes e distribuindo tapinhas nas costas. De repente ele me viu e começou a andar na minha direção. Estendendo a mão para mim, disse: "Oi, sou o Pastor Ted." Notei seu sorriso de dentes enormes, o rosto de menino, o terno bem cortado, e imediatamente tirei uma série de conclusões sobre ele.

Após as eleições americanas de 2004, cobrir a área de religião não me parecia mais tão ruim assim. Os evangélicos haviam demonstrado um impressionante poder no jogo eleitoral, ajudando George W. Bush a se manter na Casa Branca. Questões relacionadas à fé pareciam estar no centro de tudo, desde as disputas culturais internas até as guerras internacionais que eu havia testemunhado como repórter.

Embora agora eu até considerasse boa a oferta que Peter me fizera anos antes, ainda não havia mudado minha atitude pessoal em relação à fé – um desinteresse beirando o desdém. Eu não era exatamente ateu. Há muito tempo, provavelmente durante algum debate superficial na época da faculdade, eu havia decidido que o agnosticismo era a única posição razoável e não voltara a pensar no assunto. Minha visão era impiedosa, enraizada numa combinação de apatia e ignorância. Pensava que religiões organizadas eram uma idiotice e que todos os fiéis – fossem inspirados por Jesus ou pela jihad – deveriam ter alguma deficiência cognitiva.

Cresci num ambiente secular, cercado por um misto de amor hippie, política de esquerda, discos dos Beatles, roupas *tie-dye* e papos cabeça sobre emoções – mas zero em termos de espiritualidade. Eu tinha uns 9 anos quando minha mãe se sentou na minha frente e disse, sem rodeios, que não apenas Papai Noel, mas o próprio Deus não existia.

Meu pai é judeu, então, quando eu estava no sétimo ano, consegui convencer meus pais a me colocar num colégio judaico e a fazer o meu *bar mitzvah*. Mas não estava nem um pouco interessado na religião; meu objetivo era ser aceito pelos outros garotos que eu conhecia, a maioria judeus. E também queria os presentes e a festa. Como minha família não era totalmente judia, fomos atrás de um templo mais liberal que não exigisse a conversão da minha mãe. No Templo Shalom, estudei o básico da língua hebraica, aprendi um monte de canções folclóricas e paquerei desajeitadamente as meninas nas festas anuais do Purim. Não me lembro de haver muita discussão a respeito de Deus. Ninguém que eu conhecia, a não ser o rabino, talvez, realmente parecia acreditar nessas coisas metafísicas. Desde aquela época, nunca tive uma conversa significativa sobre religião até que Peter praticamente me impôs aquele trabalho.

Nos três anos em que cobri as convulsões globais após o 11 de setembro e, em seguida, a campanha presidencial de 2004, consegui adiar esse momento. Mas estava decidido a me dedicar à cobertura de religião. Semanas depois das eleições que reelegeram George W. Bush, viajei para a Flórida, onde entrevistei paroquianos de uma igreja de extrema-direita que se sentiam eufóricos e politicamente fortalecidos. Um deles me disse: "Acredito que o Senhor elegeu o presidente." Outro falou que desejava que a Suprema Corte lhe permitisse levar seus filhos a um jogo de beisebol sem ter que ver "homossexuais demonstrando afeição um pelo outro".

Quando entrevistei o pastor, um televangelista chamado D. James Kennedy, perguntei: "O que o senhor tem a dizer às pessoas preocupadas com a influência de conservadores cristãos no governo?" Esperei que ele me oferecesse uma resposta minimamente conciliadora. Em vez disso, ele apenas bufou e disse com sua voz impostada: "Arrependam-se de seus pecados."

Naquele momento, me converti alegremente de um correspondente de zona de guerra em um repórter de guerra cultural. Quando a matéria foi ao ar, Peter e os outros editores amaram, e compreendi que aquele tema que eu não queria cobrir seria, na verdade, o passaporte para a minha estabilidade no emprego – eu aparecia bem mais tempo nos telejornais, o que é a coisa mais importante nessa carreira.

Durante vários anos, fiz reportagens sobre cada movimento, cada espasmo do debate nacional sobre aborto, casamento gay e o papel da fé na vida pública. Parecia haver uma nova tempestade a cada dia, e elas iam desde o boicote à empresa Procter & Gamble por patrocinar um reality show com apresentadores gays até a indignação geral com uma escultura anatomicamente correta de Jesus, com 1,80m e 100kg, feita de chocolate, batizada de "My Sweet Lord" (Meu Doce Senhor).

Quando não estava me refestelando nas polêmicas entre liberais e conservadores, eu produzia matérias mais leves sobre os mais variados temas ligados à religião. Emplaquei reportagens sobre reality shows cristãos, festivais de rock evangélicos, consultores financeiros e mecânicos cristãos, *cheerleaders* de Cristo, academias para crentes, planos de saúde para evangélicos e assim por diante.

Após um longo tempo trabalhando comigo, meu produtor começou a se cansar da minha abordagem. Wonbo Woo era jovem e, assim como eu, não parecia a escolha mais óbvia para cobrir essa editoria: além de não ter religião, ele era gay. Wonbo se incomodava com minha tendência a explorar conflitos e caricaturas, me alimentando das criaturas e das situações mais bizarras que conseguisse encontrar. Ele estava farto das guerras culturais; queria mostrar como a fé afetava o dia a dia das pessoas. Ou seja, ele queria algo mais profundo.

Eu estava atrás de mais uma matéria no estilo "Olha só o que aqueles evangélicos malucos estão fazendo agora" quando aterrissei naquela megaigreja lotada de gente falando línguas estranhas.

Momentos depois de levar aquele susto com a barulhenta senhora da congregação, o pastor conduziu minha equipe para fora do santuário principal, caminhando no ar frio do Colorado até outro edifício enorme, novinho em folha, de 55.000m^2 e cuja construção custara US$ 5,5 milhões. Atravessamos as portas de vidro e caminhamos por um longo corredor decorado com obras religiosas, enquanto a equipe de filmagem gravava a nossa conversa. Então chegamos ao salão principal, aparelhado com diversos computadores que recebiam noticiários do mundo inteiro – era uma espécie de centro de controle para comunicações com Deus. "Estamos observando o mundo em tempo real para ver quando precisamos orar por conta de algum evento", ele me contou, com empolgação sincera. Ted acreditava no poder da oração para "interceder" nos acontecimentos e causar mudanças reais no mundo. "Se houver algo indicando que há um problema, notificamos centenas de milhares de *intercessores* imediatamente", disse ele.

Ted falava com uma animação incrível – embora eu tivesse a sensação de que ele falaria sobre rabanetes da mesma forma. Com seu cabelo curto cuidadosamente repartido e seus olhos brilhantes, ele tinha aquele jeito envolvente que fazia com que você se sentisse a pessoa mais importante do mundo.

Ele e a esposa, Gayle, haviam fundado a igreja New Life no porão de sua casa várias décadas antes, com uma congregação de 22 pessoas. Ela foi crescendo com uma intensidade febril à medida que Ted levava seus seguidores para a frente de prédios do governo, bares gays ou casas de supostas bruxas. Ele e sua tropa de "guerreiros da oração" faziam passeatas por quase todas as ruas numa tentativa de expulsar o demônio da cidade.

Na época de nossa visita, a igreja tinha 14.000 membros registrados e Ted era um dos principais líderes religiosos de Colorado Springs – que também era sede de muitas outras organizações cristãs, como Foco na Família e Cruzada do Campus por Cristo –, que passou a ser conhecida como o "Vaticano Evangélico".

Enquanto conversávamos, ficou claro que Ted era um pastor bem diferente de seus belicosos antecessores da direita religiosa. Ele fazia parte de uma nova geração de pastores que vinha tentando ampliar a discussão política evangélica para além da homossexualidade e do aborto. De certa forma, mais parecia um guru de autoajuda. Havia escrito uma série de livros sobre temas que iam de como fazer seu casamento durar até como salvar seus vizinhos do inferno.

Quando terminamos a entrevista, ele acenou para que eu me sentasse ao seu lado. Meu primeiro instinto foi recusar, imaginando que aquela conversa poderia descambar para uma pregação religiosa. Mas não quis ser mal-educado, então fui até ele. Com as câmeras desligadas, Ted suavizou um pouco o excesso de animação e começou a falar com franqueza sobre o estado da cena evangélica nos Estados Unidos.

– Podemos falar em *off*? – perguntou.

– Claro – respondi, pensando: *Isso pode dar algo interessante*.

– Há uma enorme diferença entre o que eu faço e o que pessoas como Jim Dobson fazem. – Dobson era o líder da Foco na Família e um pilar da ortodoxia religiosa da velha escola. – Tenho uma congregação que vejo olhos nos olhos toda semana; conheço suas famílias, seus medos e seus problemas. Se eu for sempre negativo, não vou ajudá-los. O ministério de Dobson, por outro lado, cresce em meio à controvérsia, porque isso atrai interesse e doações em dinheiro.

Fiquei surpreso ao ouvir um pastor famoso falando mal de outra figura importante no meio evangélico. Parecia... pouco cristão. Mas com certeza era intrigante e eu estava começando a gostar do cara. Ted respondeu pacientemente todas as minhas perguntas sobre evangelismo e sobre questões que eu não teria coragem de perguntar para mais ninguém do meio. Ele não tentou me converter nem me fazer sentir inferior por ser desigrejado (um termo usado pelos evangélicos para designar aqueles que não são filiados a nenhuma instituição convencional de culto). Também não ficou na defensiva quando perguntei como os líderes que interpretam a Bíblia literalmente justificavam o fato de partes diferentes do livro dizerem coisas diferentes sobre detalhes fundamentais da história de Jesus.

Sentado ali com o Pastor Ted, percebi, com um arrependimento genuíno, como eu havia sido crítico e esnobe – não apenas em relação a ele, mas a todas as pessoas religiosas de forma geral. A história dele sobre os conflitos internos do próprio movimento desbancou a noção de que os fiéis são facilmente manipuláveis. Eu acreditava que os religiosos não eram inteligentes, e ele estava ali me provando que era. Assim como ele, Tolstói, Lincoln e Michelangelo acreditavam em Deus, isso sem falar em contemporâneos como Francis Collins, o cientista evangélico que liderou a pesquisa do mapeamento do genoma humano.

Eu não apenas tinha sido injusto com as pessoas de fé, ao tirar conclusões prematuras, generalizadas e mal informadas, como também prestara um desserviço a mim mesmo. Cobrir religião poderia ser muito mais do que uma chance de aparecer mais na televisão. A maioria das pessoas enxerga sua vida inteira pelas lentes da fé. Eu não precisava concordar, mas finalmente poderia entender como isso acontece. Acima de tudo, tinha a oportunidade de abordar a questão da fé como uma forma de iluminar o debate, e não de jogar mais lenha na fogueira. Num tempo em que religião se tornou tão polarizada, o jornalismo poderia fazer o público refletir e conhecer mundos em que jamais entraria e, nesse processo, desmistificar, humanizar e esclarecer. Era para isso que eu havia escolhido essa carreira, afinal – para estar na TV *e* fazer um trabalho significativo.

Após minha conversa com o Pastor Ted, admiti a Wonbo que

ele estava certo: nós poderíamos começar a cobrir religião com mais profundidade.

Fiquei tão empolgado com essa mudança de rumo que, na primavera de 2005, coloquei uma Bíblia na mala que levei para uma série de reportagens internacionais. Achei que, para ser um bom repórter de religião, eu deveria ler o material na fonte.

Foi na véspera dessa viagem ao Oriente Médio que encontrei Peter Jennings pela última vez. Tinha ido ao escritório dele para receber orientações sobre as prioridades das matérias que faria. Como sempre, ele começou a conversa com um insulto: "Há uma percepção geral de que você não é muito bom em matérias internacionais." Eu tinha certeza de que isso não era verdade; provavelmente era parte da eterna guerra psicológica que ele promovia. Ainda assim, comecei a tentar me defender, e ele me interrompeu com um discurso sobre as matérias que gostaria que eu produzisse enquanto estivesse lá fora.

Algumas semanas depois, eu estava na varanda do escritório de Bagdá, lutando para terminar de ler o Levítico e suas discussões intermináveis sobre como abater uma cabra. Num determinado momento não aguentei mais e me levantei para checar meus e-mails. Então vi a mensagem de Peter. Ele havia escrito para todos os colegas anunciando que estava com câncer no pulmão.

Nunca mais o vi. Quando voltei da viagem, ele já estava de licença médica. Poucos meses depois, faleceu. Apesar do medo e da frustração que Peter havia provocado em mim nos últimos cinco anos, eu sentia uma enorme afeição por ele. A noite em que morreu foi uma das poucas vezes em que chorei depois de adulto.

Talvez mais do que qualquer outra pessoa fora da minha família, ele havia genuinamente alterado o curso da minha vida e me transformado num profissional muito melhor do que eu jamais havia sonhado.

A morte de Peter deu início a uma série de remanejamentos de cargos na emissora. Com a enorme dança das cadeiras, fui escolhido para apresentar a edição dominical do *World News* – uma promoção que considerei incalculavelmente sensacional.

Mas subir esse degrau não reduziu em nada minhas neuroses em relação ao trabalho. Pelo contrário. Eu estava louco de felicidade por ter assumido o volante da divisão de jornalismo todo domingo à noite – escolhendo as matérias que deveríamos cobrir, a abordagem que iríamos usar e, depois, apresentando-as da cadeira que havia sido ocupada por Peter Jennings. Eu tinha o melhor emprego do mundo. Mas isso significava que agora eu tinha muito mais a perder – e, portanto, muito mais para proteger.

O círculo vicioso mental (*quantas matérias consegui emplacar essa semana?*) que tenho desde o início da minha carreira entrou em rotação máxima. Antes da reformulação, minha preocupação era ser superado por algum veterano da emissora. Depois dela, a ideia de ser deixado para trás por algum novato me torturava.

De vez em quando eu reclamava disso com o Dr. Brotman, que me aplicava uma dose combinada de compaixão e ceticismo, típica de um bom terapeuta. Apesar de compreender a natureza competitiva do meu trabalho, ele achava que eu tinha uma reação exagerada àquilo tudo. Para ele, assim como eu havia usado as drogas para compensar a falta da adrenalina da guerra, eu agora inflava o drama da disputa interna na emissora para substituir as drogas.

Talvez fosse isso. Eu não sabia o que pensar. Tinha consciência de que o excesso de preocupação era contraproducente. Além disso, não gostava de nutrir sentimentos raivosos em relação a pessoas que eu admirava. No entanto, ainda acreditava que certa dose de tensão e inquietação era inevitável na minha profissão. E, no fundo, não tinha a menor intenção de abandonar a filosofia do meu pai sobre o preço da segurança.

Naquele período, enquanto lidava com as consequências dos meus ataques de pânico, a tentação de voltar às drogas e a pressão no trabalho, jamais me ocorreu que alguns aspectos das tradições religiosas que eu estava cobrindo poderiam ser relevantes para a minha vida. A fé se provou um assunto interessantíssimo do ponto de vista jornalístico, mas ainda não servia para mim com o mesmo propósito que servia para os fiéis que eu entrevistava: responder às minhas questões mais profundas ou atender às minhas necessidades fundamentais.

Assim, levei adiante meu plano de expandir a cobertura de religião para além dos assuntos polêmicos. O Pastor Ted Haggard continuou sendo uma fonte importante, que eu procurava sempre que precisava de respostas sinceras sobre temas difíceis. Era divertido conversar com ele. Apesar do abismo cultural e filosófico que existia entre nós, nos dávamos muito bem.

Por causa dessa relação, comecei a ficar mais à vontade quando as pessoas falavam de Deus; passei a defender alguns evangélicos e deixei de vê-los como fanáticos e preconceituosos. Na maioria das vezes, quando eu e Wonbo visitávamos as congregações, todos nos recebiam com gentileza, hospitalidade e curiosidade. As pessoas costumavam perguntar se nós éramos crentes, mas nunca reagiam com choque ou horror à nossa resposta negativa. Elas podiam até pensar que iríamos para o inferno – mas continuavam nos tratando bem mesmo assim.

Numa manhã de novembro de 2006, eu estava navegando na internet à procura de ideias para futuras matérias quando deparei com um artigo dizendo que o Pastor Ted Haggard havia sido acusado por um garoto de programa de pagar para fazer sexo e de consumir metanfetamina. Na hora achei que devia ser um engano ou uma tentativa de sujar a reputação do pastor. Estava tão convencido de que não era verdade que nem incluí o assunto nas minhas sugestões de pauta.

Mas logo outros elementos começaram a conferir veracidade à história. O michê, Mike Jones, contou que tinha encontros frequentes com um homem chamado "Art". Numa entrevista, Mike disse que eles se relacionavam havia anos, mas que "não era um relacionamento emocional. Era estritamente para sexo". Quando viu o Pastor Ted/Art na televisão apoiando um projeto de lei contra o casamento gay, Jones decidiu vir a público. Para piorar a situação, o rapaz tinha gravado mensagens telefônicas em que se ouvia o pastor marcando encontros com ele e encomendando drogas.

Fiquei totalmente atordoado. Jamais me surpreendi com alguém daquela forma. Aquele Ted Haggard tão arrumadinho, bem-comportado, temente a Deus, pai de cinco filhos e líder espiritual levava uma vida dupla. O caso se tornou um escândalo na imprensa. A mídia ama histórias em que uma pessoa que se exibe publicamente como padrão de virtude cai em desgraça. Ele negou enquanto pôde, até se sentir pressionado demais e se desligar de seus cargos na Associação Nacional dos Evangélicos e na New Life.

O episódio reafirmou as opiniões negativas dos americanos sobre os evangélicos e deu origem a inúmeras piadas na internet. Aquele era, afinal, um homem que descrevia a homossexualidade como um pecado, como "uma vida que atenta contra Deus". Embora fosse óbvio que Ted tinha sido extremamente hipócrita, eu fiquei triste por ele. De certa forma, me comoveu saber que os preceitos morais de sua religião o forçavam a reprimir uma parte fundamental de sua pessoa.

Durante a crise, tentei de todas as maneiras entrar em contato com ele. Mas o cara que antes retornava minhas mensagens em questão de segundos agora tinha desaparecido completamente.

Enquanto o mundo de Ted desmoronava, o meu estava ficando melhor. Um dia, Bob Woodruff disse que ia me apresentar a uma amiga dele. Menos de dois anos após sofrer ferimentos gravíssimos na cabeça devido a uma explosão num atentado no Iraque, Woody – como era chamado pelos amigos – estava dando uma de casamenteiro.

No início, duvidei que fosse dar certo. Achava patética a ideia de me arrumarem uma namorada. Mas era difícil dizer não para ele e para sua divertidíssima esposa, Lee. A tal Bianca era médica e linda, e eu seria um idiota se recusasse o encontro – foi o que eles me disseram. Não tive outra escolha senão aceitar.

Nosso encontro era num restaurante italiano. Patologicamente pontual, cheguei cedo e fui me sentar no bar. Meu plano era ficar ali mexendo no celular para que Bianca tocasse o meu ombro para chamar minha atenção e eu a olhasse com um olhar blasé, sem demonstrar ansiedade alguma. Mas claro que eu estava nervoso demais para agir daquela forma e acabei olhando sem parar em direção à porta.

Minutos depois, quando ela apareceu, fiquei boquiaberto. Ela era linda, com cabelos dourados e olhos azul-claros penetrantes – como os de um husky siberiano, só que mais suaves. Como eu sempre fazia toda vez que deparava com alguém interessante, disparei a fazer perguntas sobre a vida dela. Bianca morava em Manhattan desde criança. O pai era médico, a mãe era artista. Ela tinha concluído a faculdade de Medicina e agora estava no meio do primeiro ano de residência, uma fase de estresse infernal. E também era, como fui percebendo ao longo daquela noite, inteligente, apaixonada por medicina, humilde, otimista, de riso fácil, amante de animais e de sobremesas.

O primeiro encontro levou a um segundo. Três meses depois, Bianca se mudou para o meu apartamento. Após dois meses, adotamos três gatos. Como sempre fui um pouco hipocondríaco, era ótimo ter uma médica em casa. Melhor ainda, depois de morar sozinho por quase uma década, era maravilhosamente estranho voltar para a cama depois de ir ao banheiro no meio da noite e ver três gatos e um ser humano deitados ali, todos eles com os mesmos direitos sobre o meu território.

Bianca me tornou mais brincalhão, me ajudou a perder o medo de parecer bobo. Nunca havia me sentido tão à vontade com outra pessoa. Nunca havia me apaixonado antes. Por muito tempo temi ser individualista demais para me envolver de verdade com alguém. Mas então aconteceu. Era maravilhoso preocupar-me com a vida e a carreira dela em vez focar apenas em mim. Por outro lado, achei que, por ela ser mais inteligente e bondosa do que eu, tê-la ao meu lado me tornaria uma pessoa melhor.

Depois de décadas numa solteirice sem rumo, foi como curar uma grande coceira existencial. Mas o lado ruim é que isso me deixou livre para concentrar toda a minha neurose no trabalho. Às vezes eu chegava em casa chateado, e Bianca tinha dificuldade para não levar minha irritação para o lado pessoal.

Ela também chegava em casa em frangalhos às vezes, mas as causas do estresse dela me faziam parecer superficial. Ela chorava a morte de algum dos seus pacientes, enquanto eu reclamava que algum colega tinha conseguido a matéria que eu desejava ter feito ou criticava minha atuação diante das câmeras.

Eu continuava a mandar mensagens para Ted Haggard frequentemente. Escrevia para ele tentando convencê-lo a me dar uma entrevista exclusiva assim que resolvesse emergir de sua reclusão. Além do interesse jornalístico, eu estava morrendo de curiosidade para saber onde ele andava e o que estava fazendo.

Quase um ano se passou até que ele entrasse em contato. O homem que havia sido o 11º evangélico mais influente dos Estados Unidos agora morava num apartamento velho, mal conseguindo sustentar a família com o salário de vendedor de seguros. Por incrível que pareça, Gayle continuava ao lado dele.

Vários meses depois, Ted e eu nos sentamos para a primeira entrevista dele à televisão desde a época do escândalo.

Eu estava nervoso – e dava para perceber. Quando estou ansioso, meu rosto aparenta cansaço. E naquele dia eu parecia exausto. Fiz de tudo para ficar mais corado, mas não teve jeito. Era desconfortável demais fazer uma entrevista dura com alguém que eu conhecia e de quem gostava.

Ao contrário de mim, Ted parecia totalmente à vontade diante da inquisição que estava prestes a começar. Então fui direto ao ponto:

– As palavras que foram usadas para descrevê-lo, "hipócrita" e "mentiroso", são justas?

– Sim, são justas – disse ele, quase entusiasmado, como se mal pudesse esperar por aquele desabafo.

– O senhor acha que deve desculpas à comunidade gay?

– Claro. Eu realmente quero me desculpar – disse ele. – Sinto profundamente pela minha atitude. Acho que eu costumava ser tão veemente sobre o assunto por causa da minha guerra interior.

Para minha surpresa, ele insistiu que não era gay.

– O senhor não acha que as pessoas que estão assistindo a essa entrevista podem pensar que o senhor não está sendo honesto consigo mesmo?

– Sim, mas cada um tem a sua própria jornada. As pessoas podem me julgar. É justo que me julguem e achem que não estou sendo verdadeiro comigo mesmo.

O momento mais difícil foi quando mostrei a ele um vídeo em que um rapaz que frequentava sua igreja o acusava de assédio sexual.

– É tudo verdade. Nunca tivemos contato sexual, mas eu violei aquele relacionamento.

Quando a entrevista terminou, Ted não parecia estar ressentido por eu tê-lo pego desprevenido com aquele vídeo. Tomei café com ele e sua esposa e conversamos como se nada tivesse acontecido. O que mais me impressionou, no entanto, foi o fato de sua fé não ter sido abalada apesar da tempestade que arrasou sua vida. "Nunca me afastei de Deus", contou-me. Em seus momentos de maior desespero, enquanto morava naquele apartamento apertado, chorando todos os dias e pensando seriamente em suicídio, foi a fé que o manteve de pé. Ele sentia que as provações pelas quais estava passando faziam parte de um plano maior e que, mesmo que o mundo o odiasse, o Criador ainda o amava. "Eu sabia com toda a certeza que Deus se importava comigo", disse.

Nunca me esqueci de suas palavras. Eu também havia sofrido uma crise provocada por minhas ações. A de Ted envolveu drogas e infidelidade; a minha teve a ver com drogas e um ataque de pânico em rede nacional. Naquele ponto, invejei Ted – não de uma forma condescendente, do tipo "Queria ser estúpido o suficiente para acreditar em religião". Mas teria sido imensamente útil sentir que meus problemas faziam parte de algum plano universal. Eu havia lido uma pesquisa mostrando que pessoas que frequentavam igrejas regularmente tendiam a ser mais felizes, em parte porque acreditar que há sentido para tudo e que o sofrimento acontece por alguma razão específica as ajuda a lidar melhor com os dramas inevitáveis da vida.

Até aquela entrevista com Ted, eu sentia uma certa satisfação presunçosa por não ter nenhuma necessidade de obter respostas para as Grandes Questões. Mas agora compreendia que essa falta de curiosidade era negativa: meu senso de admiração pela vida havia se atrofiado. Eu podia até discordar da conclusão daquela pesquisa, mas sabia que alguma coisa diferente acontecia na cabeça das pessoas religiosas. Toda semana elas reservavam um tempo para sair da correria diária e refletir sobre seu lugar no universo. Quem nunca olha para cima, eu agora percebia, olha apenas à sua volta.

Ted Haggard, que havia me ensinado a ver pessoas de fé sob um prisma diferente, também me mostrara algo importante: o valor de um ponto de vista que transcendesse o mundo material. Claro que eu não estava abandonando a minha ambição – e também não planejava me forçar a acreditar em algo sobre o qual, para mim, não havia evidências suficientes. No entanto, estava prestes a fazer uma reportagem que, pela primeira vez desde que Peter Jennings me mandou escrever sobre religião, iria realmente quebrar minhas defesas.

Capítulo 3
Gênio ou lunático?

O homem sentado diante de mim estava me deixando impressionadíssimo – ele tinha um estilo, tanto de falar quanto de vestir, tão monocromático que era como se quisesse desaparecer, camuflando-se no ambiente à sua volta. Pequeno como um gnomo, de olhos opacos, parecia o tipo de pessoa que você tentaria evitar durante uma festa.

Ainda assim, ele dizia coisas extraordinárias. Coisas capazes de mudar sua vida. Seus argumentos me forçavam a repensar meu *modus operandi* baseado no preço da segurança.

Mas o paradoxo que me deixou confuso era o seguinte: logo depois de dizer uma coisa brilhante, ele falava algo totalmente ridículo. O homem alternava seu discurso entre o incisivo e o insano. Era mais ou menos assim:

Zigue: um diagnóstico perfeito da condição humana.
Zague: uma afirmação pseudocientífica.
Zigue: uma observação esclarecedora sobre como nós mesmos provocamos nossa insatisfação com a vida.
Zague: uma alegação de que ele dormiu em bancos de praça durante dois anos num estado de felicidade total.

Ele ainda disse que sabia como eu também poderia me tornar mais feliz e, apesar da névoa esotérica turvando o que dizia de bom, eu suspeitava que ele podia ter razão.

Semanas antes de ouvir falar no nome Eckhart Tolle pela primeira vez, eu estava no banheiro do avião, observando, infeliz, o meu reflexo no espelho. Voltava para casa depois de gravar uma reportagem no Brasil, onde passei uma semana vivendo com uma tribo isolada na Amazônia. Foi maravilhoso. Aqueles seres ainda viviam como seus ancestrais. Eles me deixaram dormir em redes nas cabanas deles, e eu retribuí o favor mostrando-lhes vídeos no meu iPod. Mas agora, debruçado sobre a pia metálica no lavatório do avião, eu não estava saboreando aquela experiência incrível com os índios nem tentando imaginar o texto da matéria, que iria ao ar em poucas semanas. Em vez disso, estava puxando o meu cabelo para trás e analisando as entradas na minha testa.

Bianca já havia me flagrado fazendo isso mais de uma vez. Ela comentou que meu cabelo estava rareando um pouquinho na parte de trás, mas que eu ainda tinha uma cabeleira praticamente intacta. Vez por outra, no entanto, eu me olhava em alguma superfície refletora e caía novamente na paranoia.

Quando mencionei essa preocupação ao Dr. Brotman, ele me lançou um olhar incrédulo.

– Você não entende – afirmei. – Se eu ficar careca, minha carreira está acabada.

– *Você* não entende – respondeu ele, olhando para minha cabeça. – Você *não* está ficando careca.

Sob qualquer aspecto racional, tudo ia bem na minha vida. Quase três anos haviam passado desde os meus ataques de pânico. Eu já não precisava mais tomar antidepressivos e me consultava com o Dr. Brotman apenas uma vez por mês. Ocasionalmente era surpreendido por uma onda de desejo por drogas, mas essa *fis-*

sura era cada vez menos intensa. Em casa, a situação estava ainda melhor: depois de morarmos juntos durante um ano, Bianca e eu ficamos noivos e estávamos planejando um casamento nas Bahamas. No trabalho, meu posto de âncora na edição de domingo do *World News* continuava sendo uma grande alegria para mim. E tive oportunidade de fazer matérias investigativas para o programa *Nightline*.

Apesar de tudo, minha insegurança em relação ao meu emprego estava aumentando, e a neurose com o cabelo era apenas um indicador disso. Nos meus oito anos na sede da ABC, presenciei algumas figuras aparentemente intocáveis perdendo destaque ou simplesmente desaparecendo do ar. Eu morria de medo de que algo parecido acontecesse comigo.

Para piorar, os Estados Unidos entraram na crise econômica mais séria desde a Grande Depressão. Bancos estavam quebrando, a bolsa de valores estava em queda livre. A ABC começou um corte profundo de pessoal. Fiquei ansioso em relação ao meu futuro – o que mais eu sabia fazer a não ser matraquear diante das câmeras? Algumas vezes me pegava deitado no sofá do escritório pensando na palavra *impermanência*.

No banheiro do avião quando voltava do Brasil, pensei naquilo tudo enquanto olhava para a minha testa. Fiquei nessa posição por uns dez minutos. Então me dei conta de que devia haver uma fila na porta do banheiro. Dei uma ajeitada no cabelo e voltei para o meu lugar.

Cerca de um mês depois, eu estava numa festa com a intenção de entrevistar alguns políticos. Afastando-me um pouco do barulho, percebi que minha equipe estava conversando animadamente sobre um livro que Felicia, a produtora, acabara de ler. Ao me ver, ela perguntou: "Você já leu os livros do Eckhart

Tolle? Talvez goste. Ele fala principalmente sobre como controlar seu ego."

O câmera e o operador de áudio caíram na gargalhada. Assim como eu, eles entenderam aquilo como uma piada sobre o narcisismo dos apresentadores. Mas Felicia, uma mulher educadíssima, me garantiu que essa não era sua intenção. Ela tinha lido todos os livros de Tolle e achava que eles a ajudaram muito. E, como a Oprah estava promovendo o último título do autor, Felicia sugeriu que eu fizesse uma entrevista com ele.

Tudo bem. Eu estava mesmo procurando novas pautas, e essa – sobre um guru de autoajuda aprovado pela Oprah – parecia ter todos os pré-requisitos necessários para uma boa matéria. Então, quando voltei para casa no fim do dia, encomendei pela internet o último livro dele.

Quando o livro foi entregue no meu apartamento, dias depois, eu já nem me lembrava mais de Eckhart Tolle. A capa ostentava o pretensioso título *Um novo mundo: o despertar de uma nova consciência*, além do selo do Clube do Livro da Oprah.

No início, o livro me pareceu uma baboseira pseudointelectual. Eu revirava os olhos enquanto lia as primeiras páginas, amaldiçoando Felicia por infligir aquilo a mim. Mas, justamente quando pensei que seria derrotado por todo aquele papo sobre "abertura interior" e a iminente "mudança na consciência planetária", uma clareira surgiu em meio àquela mata espiritual. Tolle começou a desenvolver uma tese fascinante – e parecia que ele havia se inspirado em mim para descrevê-la.

Nossa vida inteira, segundo ele, é governada por uma voz que existe dentro da nossa cabeça. Essa voz passa o dia inteiro criando uma torrente incessante de pensamentos – a maioria deles negativos, repetitivos e autorreferentes. Ela berra para nós desde o momento em que abrimos os olhos até quando caímos no sono à noite (isso quando nos permite dormir) e está constantemente julgando e rotulando tudo o que aparece em seu campo de visão. Mas seus alvos não são apenas externos; muitas vezes ela debocha cruelmente de nós também.

Pelo que entendi, Felicia realmente não estava zombando da minha vaidade naquele dia: Tolle não usava o termo "ego" no sentido que costumamos empregar. Ele não se referia ao orgulho, à presunção ou ao amor-próprio. Também não estava falando do ego no sentido freudiano, como o mecanismo psicológico que faz a mediação entre o id e o superego. Tolle dava um sentido muito maior à palavra; de acordo com ele, o ego é o nosso narrador interno, nossa noção do "eu".

Embora eu nunca tivesse pensado nisso antes, acredito que sempre considerei a voz dentro da minha cabeça como sendo eu mesmo: meu repórter espiritual interno, âncora da cobertura sobre a minha vida, tagarelando incessantemente comentários desagradáveis não solicitados.

Segundo Tolle, embora essa voz seja a parte mais evidente de nossa vida interior, a maioria das pessoas não compreende o seu poder. Ele argumenta que a incapacidade de reconhecer os pensamentos pelo que realmente são – jorros quânticos de energia psíquica que existem apenas dentro da nossa cabeça – é o erro humano primordial. Quando não estamos cientes da "mente egoica", agimos de acordo com nossos pensamentos, e o resultado disso geralmente é péssimo.

Comecei a relembrar algumas sugestões brilhantes que minha voz interior me deu ao longo dos anos:

Você deve cheirar cocaína.

Você está certo em ter um ataque de raiva por causa do problema técnico na transmissão. Jogue os papéis para cima!

Eu já estava lendo havia uma hora, e Tolle conseguira prender totalmente a minha atenção. Ele listava alguns dos truques característicos do ego, e muitos dos exemplos pareciam ter saído direto do meu repertório de comportamentos.

O ego nunca está satisfeito. Não importa quanto compramos, quantas refeições deliciosas consumimos, quantas batalhas vencemos: o ego nunca se sente completo. Por acaso isso não descreve perfeitamente meu apetite insaciável por estar na TV – ou pelas drogas?

O ego está constantemente nos comparando aos outros. Ele nos incita a medir nosso próprio valor com base na aparência, na riqueza e no status social das outras pessoas. Isso não explicaria minhas preocupações constantes com o emprego?

O ego adora um drama. Mantém nossas queixas e nossos ressentimentos por meio dos pensamentos compulsivos. Será por isso que eu voltava para casa e continuava irritado por causa dos problemas do trabalho?

Talvez a descoberta mais poderosa de Tolle seja a obsessão do ego com o passado e o futuro, em detrimento do presente. "Vivemos quase que exclusivamente através de memórias ou da expectativa do que virá", ele escreveu. Sentimos nostalgia por eventos passados, durante os quais provavelmente estávamos ruminando sobre algum problema anterior ou pensando no que fazer depois. Da mesma forma, fantasiamos momentos que desejamos viver no futuro e, quando o futuro chegar, certamente estaremos pensando em outras coisas. Mas, como Tolle observou, a única coisa que realmente há é o Agora. (Ele gosta de escrever a palavra com A maiúsculo). Tudo o que vivemos no passado aconteceu no momento presente e tudo o que viveremos no futuro acontecerá no momento presente.

Percebi que eu era expert em evitar o Agora. Passei a vida querendo me adiantar. Na época da escola, uma namoradinha me disse uma coisa meio nojenta, porém perfeita: "Quando você tem um pé no futuro e outro no passado, você mija no presente." Já adulto, dominado por prazos curtos e tarefas impossíveis, eu estava sempre planejando meu dia em vez de curtir com calma e tranquilidade cada coisa que fazia. No fundo, eu achava que o futuro seria melhor do que o agora. Acreditava que quando alcançasse o... *o que quer que fosse*... eu estaria satisfeito. Nas poucas vezes de que me lembro de estar totalmente consciente do momento presente, eu estava no meio da guerra ou me drogando. Não é à toa que uma coisa substituiu a outra.

Finalmente me dei conta de que eu havia andado como um sonâmbulo por boa parte da minha vida – arrastado por uma correnteza de comportamentos automáticos. Tudo aquilo de que eu me envergonhava podia ser explicado pelo ego: a busca pela emoção da guerra sem pensar nas consequências; a substituição da adrenalina do combate por cocaína e ecstasy; o julgamento preconceituoso das pessoas de fé; a ansiedade desenfreada no trabalho; a obsessão ridícula pelo cabelo.

Para alguém como eu, era um tanto embaraçoso ler um autor de autoajuda e pensar: *Esse cara realmente me entende*. Mas foi naquele momento, deitado na cama à noite, que percebi que a voz dentro da minha cabeça – o narrador interno que dominava minha consciência desde que me entendo por gente – era uma grande babaca.

Foi então que as coisas ficaram confusas. Assim que comecei a considerar Tolle um sábio que talvez tivesse a chave para todos os meus problemas, ele começou a dizer um monte de coisas estranhas. Argumentava que viver no presente reduzia a velocidade do processo de envelhecimento e tornava a estrutura molecular do corpo menos densa. Afirmava que os pensamentos têm a sua própria faixa de frequência; os negativos ocupando a parte de baixo da escala e os positivos, a mais alta. Às vezes, em uma única frase, ele dizia algo lúcido e convincente para logo em seguida derrapar em direção à birutice. Sinceramente, eu não conseguia decidir se ele era um gênio ou um lunático.

Então comecei a buscar mais informações sobre quem ele realmente era. O evento mais importante de sua vida aconteceu quando estudava na Universidade de Oxford e teve uma depressão severa. Deitado na cama, ele de repente foi dominado por pensamentos suicidas, como se estivesse sendo "sugado em direção a um vazio". Ouviu uma voz orientando-o a "não resistir a nada". Então tudo ficou escuro. Na manhã seguinte, a luz do sol lhe trouxe uma revelação, e sua vida se tornou linda e brilhante. Tudo havia mudado. Depois disso, ele passou dois anos vivendo nas ruas, dormindo em bancos de praça, totalmente feliz. Esse foi o seu despertar espiritual.

Sentado diante do computador no meio da madrugada, apoiei a cabeça nas mãos, confuso. Durante toda a minha vida eu me orgulhei de ser cético. Passei quase uma década entrevistando diversos líderes religiosos, mas nenhum deles havia me tocado. Como é que, então, esse cara que parecia um personagem de *O Hobbit*, finalmente conseguira fazer isso?

Eu estava olhando no espelho de novo – dessa vez para um buraco vermelho enorme, do tamanho de uma moeda, bem no meio da minha bochecha direita.

Quando o dermatologista descobriu uma pinta leitosa no meu rosto – carcinoma basocelular, uma forma não letal de câncer de pele –, fiquei tentado a não retirá-la. Cirurgia facial era uma perspectiva pouco animadora para alguém que ganha a vida aparecendo na TV. Mas o médico, assim como Bianca, insistiu que eu não podia deixar de ser operado. O câncer iria crescer e poderia afetar meu olho e me deixar cego. Por um décimo de segundo, considerei que preferia a cegueira parcial a uma cicatriz, embora o médico tivesse prometido que, se tudo corresse bem, eu ficaria apenas com uma marca bem pequena.

O dia da cirurgia foi torturante. A cirurgiã fez um corte inicial, usando um bisturi microscopicamente guiado para remover o câncer. Depois disso, fui para a sala de espera, enquanto ela analisava o material. Juntei-me a Bianca e comecei a ler *Um novo mundo* pela terceira vez.

Cerca de meia hora depois, a médica me chamou de volta, dizendo que precisava fazer um corte um pouco mais profundo. E lá fui eu ser cortado de novo. Depois fui para a sala de espera novamente e li um pouco mais. Mais meia hora e a enfermeira veio me dizer que ainda não tinham conseguido tirar totalmente o câncer; seria necessário fazer um corte ainda maior.

Quando entrei para fazer o novo procedimento, a médica me explicou que o câncer era maior do que ela havia pensado – e ainda nem sabia o tamanho. Insisti para que ela me revelasse o pior cenário possível, então fiquei sabendo que havia um risco de que o câncer tivesse se espalhado até a parte inferior da minha pálpebra. Se fosse esse o caso, a cicatriz poderia deixar meu olho permanentemente caído para baixo.

Senti o meu coração bater mais rápido enquanto pensava: "Preciso procurar um emprego no rádio."

Mas aí uma coisa engraçada aconteceu. Depois de tudo o que li sobre o falatório vazio do ego, entendi que aquelas previsões assustadoras eram apenas pensamentos quicando na minha cabeça. Não eram ideias irracionais, mas também não eram necessariamente verdadeiras. Foi um vislumbre momentâneo da sabedoria de Tolle. Não é que antes eu não tivesse consciência dos meus pensamentos. Tinha experiência em sentir medo e em saber que estava com medo. O que tornou aquele momento diferente foi a minha capacidade de enxergar meus pensamentos como eles eram de fato: apenas pensamentos, e não a realidade. É claro que a minha preocupação não cessou de repente; simplesmente não fui dominado por ela. Reconheci a situação concreta: não tinha a menor ideia do que aconteceria com o meu rosto, e acreditar nas piores hipóteses certamente não iria me ajudar.

A médica me cortou pela terceira vez e me mandou de volta para a sala de espera. Eu estava estranhamente calmo. Não queria dar todo o crédito a Tolle, para que Bianca não pensasse que eu estava ficando louco – ela já estava achando estranho eu ler aquele livro sem parar.

No final das contas, acabei tendo que entrar na faca pela quarta vez para que o tumor fosse totalmente removido. Minha pálpebra foi poupada por questão de um milímetro. Antes de fazer a sutura, a médica me mostrou o buraco do meu rosto num espelho e quase desmaiei. Eu podia ver bem dentro da minha bochecha: sangue, gordura e tudo mais.

Eu havia encarado a cirurgia surpreendentemente bem. Mas, algumas semanas depois, descobri que meu nome não estava na lista dos jornalistas que cobririam a posse do presidente Barack Obama. Fiquei bastante contrariado – isso é um eufemismo.

Dessa vez fui incapaz de criar qualquer distância crítica dos pensamentos furiosos que ricocheteavam pela minha mente. Mordi a isca oferecida pelo meu ego. Levantei-me empurrando a cadeira para trás e fiquei andando enfurecido pela emissora, parando cada executivo para reclamar daquela injustiça. Mas o tiro saiu pela culatra: em vez de conseguir um lugar na cobertura, o que ganhei foi uma reprimenda. Um dos meus chefes veio falar comigo e me aconselhou a parar de "ficar resmungando pelos cantos".

Minha maior crítica em relação a Tolle era a falta de conselhos práticos para lidar com situações como essa. Ele havia feito uma avaliação extraordinária da condição humana, mas sem nenhum plano de ação para combater o ego.

Como podemos viver melhor o Agora? A resposta de Tolle: "Sempre diga 'sim' ao momento presente." Como podemos nos libertar da voz dentro da nossa cabeça? O conselho dele: apenas tenha consciência dessa voz. "Libertar-se do ego não é uma grande façanha, é um trabalho bem pequeno." Sim, claro. Mas, se fosse tão simples assim, não haveria milhões de pessoas que despertaram para essa verdade andando por aí?

E havia uma questão ainda maior: mesmo que eu fosse capaz de reconhecer que minha revolta não passava de um monte de pensamentos, o que deveria fazer? Apenas ignorá-los?

Em seus livros, Tolle afirmava que preocupar-se demais era um processo inútil de se projetar medrosamente em direção a um futuro imaginário. "Não há como enfrentar uma situação como essa, porque ela nem existe. É um espectro mental", ele escreveu. Mas, embora eu compreendesse o benefício de estar focado no Agora, o futuro estava vindo. Eu não deveria me preparar? Se não ponderasse o desdobramento de cada problema possível, como sobreviveria numa indústria tão competitiva? Além disso, teria sido o ego o responsável por algumas das maiores realizações da humanidade? Não foi o trabalho da mente humana que nos deu a vacina contra a pólio, as pinturas de Caravaggio e o iPhone?

Ainda assim, sabia que minha mente tagarela não estava trabalhando a meu favor. Eu tinha certeza de que ficar analisando as falhas do meu cabelo ou remoendo meus problemas profissionais não era um bom uso do meu tempo. Costumava achar que colocar o dedo na ferida me manteria alerta. Então entendi que isso, na verdade, estava me deixando mais infeliz.

Tolle me forçou a aceitar o fato de que aquilo que sempre pensei ser meu maior trunfo – meu chicote interior – talvez fosse minha maior desvantagem. Passei a questionar meu mantra do preço da segurança, que seguia desde criança. De repente, eu não sabia mais: aquele lema era propulsor ou corrosivo para a minha vida?

Eu queria ser bem-sucedido, sim – mas também gostaria de me estressar menos. Aquele autor de aparência estranha parecia dizer que era possível ter as duas coisas ao mesmo tempo. Mas, como os livros dele não explicavam objetivamente como conseguir isso, decidi que precisava encontrá-lo.

Embora raramente concedesse entrevistas, Tolle aceitou meu convite poucos dias depois. Ele estaria em Toronto dentro de algumas semanas para uma palestra e nós teríamos cerca de uma hora para conversar. Ao chegar ao quarto do hotel onde faríamos a gravação, eu e minha equipe encontramos um rapaz chamado Anthony, que parecia ser o braço direito do escritor.

Quando Tolle entrou, a primeira coisa que reparei foi que ele era bem pequeno. Era simples, mas não tímido. Não vou dizer que ele não fosse simpático, mas também não era muito caloroso. Parecia feliz em estar ali, mas sem estar particularmente empolgado. Vestia uma combinação extremamente sem graça de blazer marrom sobre um suéter bege e uma camisa social azul-clara. E tinha uma barbicha falhada que cobria apenas o queixo e o pescoço.

Eu me sentia animadíssimo. Finalmente conversaria com o homem que havia me deixado tão intrigado e confuso. Desde que começara a cobrir espiritualidade, essa era a primeira vez que eu achava que poderia aproveitar as ideias de um entrevistado.

– Como é possível parar de pensar? – comecei. – Como interromper a voz dentro da nossa cabeça?

Senti uma onda momentânea de otimismo quando ele se mexeu na cadeira, preparando-se para dar os conselhos práticos pelos quais eu tanto ansiava.

– Você cria em sua vida diária pequenos espaços em que fica consciente, mas não está pensando – disse ele. – Por exemplo, você inspira e expira com consciência.

Não me decepcione, Eckhart. É só isso que você tem a dizer?

– Mas – retruquei – eu posso até ouvir os telespectadores mais céticos dizendo: "Esse cara está falando que eu posso mudar minha vida apenas respirando fundo. Isso não é possível."

– Sim, e essa é a mente falando. A mente de muitas pessoas irá comentar o que eu disser aqui afirmando que é tudo inútil.

De fato, era exatamente o que a *minha* mente estava dizendo: *Isso é inútil.*

Minha mente começou a dizer coisas ainda menos caridosas quando ele apresentou sua segunda sugestão supostamente prática:

– Outra técnica muito poderosa é tomar consciência do campo de energia interior do nosso ser.

Sabendo que havia uma câmera focada em mim, usei o velho truque jornalístico de incorporar um suposto telespectador cético que nada mais era do que eu mesmo.

– Campo de energia. Essas palavras vão acionar as antenas dos céticos imediatamente.

– É verdade. Mas essas pessoas vivem muito em suas mentes. Nem se dispõem a tentar algo novo.

Mencionei que os meus próprios esforços em viver o Agora haviam sido frustrados.

– Como estou sempre pensando, não consigo me concentrar no momento presente. E aí me sinto culpado por não viver o Agora – falei.

– Sim, como você colocou muito bem, essa é mais uma camada de pensamento. E essa camada de pensamento diz: "Viu? Isso não funciona. Não posso me libertar dos pensamentos." Fazer isso é pensar ainda mais – disse ele, sorrindo gentilmente.

– Então como podemos parar de fazer isso?

– Você simplesmente observa que isso é mais um pensamento. E, ao saber que é apenas outro pensamento, você não se identifica totalmente com ele.

Aquilo fez minha cabeça doer. Obviamente minhas perguntas não estavam ajudando a elucidar nada. Vi que Anthony estava de olho no relógio, então decidi mudar um pouco de assunto – e foi quando chegamos à parte em que Tolle fez uma de suas alegações mais improváveis.

– O senhor nunca fica irritado, furioso ou triste?

– Não, eu aceito as coisas como são. E é por isso que a vida se tornou tão simples.

– Bem, e se alguém lhe dá uma fechada no trânsito?

– Não vejo problema nisso. É como uma rajada de vento: simplesmente acontece e pronto.

– E o senhor é capaz de aproveitar e curtir cada momento, mesmo este, em que estou fazendo um monte de perguntas chatas?

– Sim. Está ótimo.

– Não me provoque.

Então ele soltou uma gargalhada de verdade, curvando-se para a frente, os olhos quase fechados. Logo depois, voltou à serenidade de antes. Quem esse cara pensa que engana? Ele estava mesmo dizendo que nunca fica de mau humor? Que nada é capaz de incomodá-lo? Como ele pode afirmar uma coisa dessas diante das câmeras?

– Eu não entendo essa postura, porque costumo pensar nas mudanças como aquele pouquinho de areia que ajuda a ostra a criar uma pérola – comentei.

– A mudança mais poderosa vem daquele estado diferente de consciência. É por isso que as pessoas admiram tanto o que Gandhi fez, porque ele conseguiu promover mudanças a partir de um estado de consciência que já estava em paz. Muita gente acha que, se você está em paz, nunca irá fazer nada. Mas não é o que acontece. Ações de grande impacto podem se originar desse estado de tranquilidade.

– Então o senhor não está dizendo que devemos ficar parados, deixando as pessoas fecharem nosso carro no trânsito. O senhor quer dizer que devemos compreender que é assim que as coisas são agora.

– E então fazer o que você precisa fazer – interrompeu ele. – Faça do momento presente seu amigo, e não seu inimigo. Muitas pessoas vivem como se o momento presente fosse um obstáculo que precisam superar a fim de chegar ao momento seguinte. Imagine passar a vida toda dessa maneira, acreditando que o Agora nunca é bom o bastante. Isso é um estresse contínuo.

Certo, aquilo começava a fazer sentido para mim. Por exemplo, no caso da cobertura da posse presidencial, eu podia ter aceitado que minha exclusão era uma realidade e simplesmente ter conversado com meus chefes para saber se era possível mudar as coisas – em vez de disparar uma saraivada de tiros no pé.

A matéria foi ao ar poucas semanas depois. As reações dos meus colegas foram interessantes. Alguns disseram que Tolle não passava de um doido. Vários outros acharam que ele era estranhamente persuasivo. E uma amiga comparou-o a um rocambole: inicialmente sem graça, mas depois fascinante.

Depois de conhecê-lo pessoalmente, eu tinha certeza de que Tolle não era uma fraude. Já havia entrevistado muitos personagens mentirosos e sabia reconhecer um charlatão. Talvez ele fosse simplesmente ingênuo. Quem sabe? Eu nunca saberia a resposta.

Essencialmente, eu voltara ao ponto em que estava quando li

pela primeira vez aquele estranho livro: encantado, mas frustrado. Tolle abriu uma porta para mim – uma porta que me permitia vislumbrar a gritaria enlouquecedora do ego. Mas ele não respondeu minhas perguntas mais urgentes. Como domar aquela voz dentro da minha cabeça? Como permanecer no Agora? Seria realmente possível derrotar a ditadura do ego sem ter que acabar dormindo num banco de praça? Eu não queria desistir da busca por respostas. Era como se tivesse encontrado um homem que me dissera que meu cabelo estava pegando fogo e depois se recusara a me oferecer um extintor de incêndio.

Capítulo 4
Felicidade S.A.

A primeira coisa que se notava nele era a armação dos óculos, decorada com pedras brilhantes. Em seguida, o perfume – como se tivesse acabado de sair de uma sessão de massagem num spa.

Conheci Deepak Chopra seis semanas depois da minha entrevista com Eckhart Tolle. Nosso encontro foi totalmente inesperado – uma feliz coincidência. Mas aposto que Chopra chamaria isso de carma.

A emissora me enviou até Seattle para moderar um debate com o título extremamente sutil de "Satã existe?". Chopra foi escolhido para defender o lado do "Não", ao lado de um bispo pentecostal. Do lado do "Sim" estavam um pastor moderninho e uma ex-prostituta que liderava um grupo evangélico.

Eu tinha uma ideia bastante vaga sobre ele. Sabia, claro, que Chopra era o guru de autoajuda mais famoso do planeta e que havia escrito dezenas de best-sellers. Para mim, ele era como o M do McDonald's ou o símbolo da Nike do mundo da espiritualidade, uma espécie de marca globalmente reconhecida. Muitas celebridades gostavam de posar ao lado dele para demonstrar que tinham "profundidade".

Eu também sabia que, apesar de toda sua serenidade, ele gostava de se envolver em discussões sobre política, ciência e fé. Foi essa mistura inusitada que motivou meus produtores a convidarem Chopra para aquele debate, que seria gravado dentro de uma igreja e iria ao ar no *Nightline* algumas semanas depois. Antes de começar o evento principal, eu deveria entrevistar os quatro participantes, instigando-os a cantar vitória antes do tempo, como boxeadores antes de entrar no ringue. Após conversar com a ex-prostituta e os dois pastores, encontrei Deepak numa sala nos fundos da igreja. Além dos óculos cravejados de strass, ele usava jeans, tênis vermelho vivo e um tipo de blazer que eu nunca vira antes – cinza-escuro, descendo até o joelho, com gola mandarim. Ele tinha um rosto carnudo, uma pele de cor bonita, café com leite, e um tom de voz de barítono suave, com um leve sotaque indiano suficiente para lhe dar um toque exótico.

Na entrevista, demonstrou que não tinha dúvidas de que venceria a discussão. Disse que Satã era apenas uma invenção de pessoas que precisavam de uma explicação mítica e irracional para justificar o mal. Quando lhe perguntei o que esperava do debate, ele garantiu:

– Não farei nada para ofender os outros, mas preciso falar minha própria verdade.

Chopra estava fazendo exatamente o que os produtores do programa desejavam, mas vi ali uma oportunidade irresistível de perguntar algo que me interessava pessoalmente: queria saber o que ele pensava de Eckhart Tolle. Comentei que ficara intrigado com a noção de ego descrita por Tolle, mas que havia me decepcionado com a falta de conselhos práticos.

De imediato, Chopra criticou Tolle como escritor. (*Aparentemente gurus de autoajuda falam mal uns dos outros*, pensei.) Então perguntei se ele sabia como permanecer no momento presente, e ele disse que sim. Aliás, afirmou que estava permanentemente presente.

Como a recomendação da emissora era que os repórteres produzissem mais conteúdo para o site abcnews.com, achei que a conversa com Deepak sobre a noção do Agora poderia resultar num bom vídeo. Assim, peguei uma pequena câmera e comecei a fazer perguntas.

– A sua mente nunca se distrai do presente? O senhor não se pega pensando em coisas que estão no passado ou no futuro?

– Não tenho qualquer arrependimento sobre o passado – disse ele – e não fico na expectativa do futuro. Eu vivo no momento.

– Certo. Mas e se o momento for horrível? Se você precisar muito ir ao banheiro e não encontrar nenhum por perto? E se estiver faminto e não tiver nada para comer?

– Nesse caso, eu me distancio da situação que envolve o momento. O momento é sempre livre.

– Explique isso melhor – pedi. – Isso é um tipo de truque mental?

– Não é um truque mental. Quando você está totalmente presente em qualquer que seja a situação, sabe que ela vai passar. A única coisa que permanece é o momento. É o vórtice transformador em direção ao infinito.

Pelo jeito, as pessoas que vivem no momento presente não têm medo de usar termos como "vórtice transformador em direção ao infinito".

Ele ainda não estava me dando exemplos específicos, então pressionei mais uma vez:

– Como o senhor faz isso? Enquanto conversamos aqui agora, às vezes minha mente voa e penso "Uau, que óculos legais" ou "Que pergunta devo fazer depois dessa?".

– Se você permanece no momento, tem o que se chama de ação correta espontânea, que é intuitiva, criativa, visionária e espia a mente do universo.

Eu não tinha a menor ideia do que ele estava falando, mas havia chegado a hora de encerrar a entrevista e começar a gravação do debate. O técnico de som se aproximou para colocar o microfone na lapela de Chopra.

– Ainda acho que o senhor faz isso parecer mais fácil do que realmente é – comentei.

Ele me olhou e deu de ombros, rindo, como se dissesse: *O que eu posso fazer, seu idiota?*

– Para mim é fácil – respondeu.

– Como eu posso ser como o senhor?

– Passe mais tempo comigo – disse ele. Depois aproximou-se de mim e pediu meu endereço, que dei com alguma relutância.

Depois de todas aquelas palavras bonitas sobre viver o momento e "espiar a mente do universo", Chopra participou do debate discutindo furiosamente, gesticulando e levantando a voz de forma nada serena. Quando não era sua vez de falar, ele se esparramava na poltrona, as pernas esticadas à frente, com um ar de tédio. Pelo menos para mim, ele não parecia estar nada presente no momento – certamente não da forma feliz que Eckhart descreveu. Ou será que estava? Talvez eu não devesse tirar conclusões precipitadas. Talvez Deepak Chopra representasse a união entre esforço apaixonado e subjugação do ego. Teria esse cara descoberto o segredo?

Eu não estava otimista em relação a isso.

Fiquei surpreso com o que aconteceu quando postei o vídeo da entrevista com Chopra. Primeiro, porque ele gerou tantas visitas que acabou entrando na lista dos Mais Vistos do site. Depois, porque recebi um e-mail de quem eu menos esperava: meu chefe.

David Westin, o presidente da central de jornalismo, não era o tipo de homem que eu imaginava estar à procura do vórtice transformador em direção ao infinito. Ele havia trabalhado como advogado antes de entrar na TV, e já dirigia a ABC havia mais de uma década. Em seu e-mail, disse que estava pessoalmente curioso sobre a minha conversa com o guru e sugeriu marcar uma reunião para discutirmos o assunto.

Alguns dias depois, entrei na mítica sala do quinto andar. Conversamos um pouco sobre amenidades até que ele começou a falar em Chopra. Com seu jeito diplomático, Westin disse que se espantou ao me ver levando o cara tão a sério.

– Eu respeito a sua opinião, Dan. Deepak é uma figura que eu só costumava ver nos programas diurnos. Você acha que ele tem realmente algo que se aproveite para o programa da noite?

Enquanto Westin falava, comecei a suspeitar que ele tinha um interesse maior do que queria demonstrar.

– Sim, tem algo que se aproveite – respondi.

Em seguida me lancei num solilóquio malsucedido e excessivamente enfático sobre Eckhart Tolle, o ego, o momento presente e sabe lá Deus o que mais. Quanto mais eu me estendia sobre "a mente pensante" e "a voz dentro da minha cabeça", mais eu percebia que não estava dizendo coisa com coisa. Aquela era a primeira oportunidade que eu tinha de discutir esse assunto com alguém, e de repente me dei conta de que não sabia direito do que estava falando. Isso me deixou ainda mais ansioso e foi aí que desatei a falar. Quando senti que havia perdido a atenção de Westin, respirei fundo e conclui dizendo que ele deveria ler o livro de Tolle.

No dia seguinte, voltei à sala dele e deixei o livro com a secretária. *Estou parecendo com aqueles malucos que distribuem folhetos religiosos na rua*, pensei.

Mas eu ainda queria conversar sobre aquilo tudo com as pessoas de quem eu gostava e em quem confiava. Não queria converter os outros – precisava apenas desabafar e ouvir a opinião deles. Imaginando que seria bem mais fácil abordar o assunto com alguém que não fosse meu chefe, tentei falar com minha amiga Regina, durante um jantar. Nos últimos dez anos, Regina e eu havíamos tido debates animados sobre tudo o que se possa imaginar – do mercado imobiliário de Nova York até minhas decisões românticas questionáveis do tempo pré-Bianca. Achei que os mecanismos do ego dariam uma ótima conversa com ela. No entanto, minutos depois que comecei a falar de Eckhart Tolle, ela me interrompeu e mudou de assunto. Sua falta de interesse foi tão feroz que compreendi que o tema que me parecia ter tanto potencial podia soar frívolo e embaraçoso.

Minha segunda derrota aconteceu durante um café da manhã com a minha família, quando mencionei o nome de Tolle para meu irmão mais novo, Matt. Ele não disse nada; apenas me lançou um sorriso irônico que foi o suficiente para estourar meu balão de entusiasmo.

O que tornava aquela série de fracassos especialmente frustrante era o fato de que as pessoas estavam reagindo da mesma forma como eu reagia enquanto entrevistava os fanáticos religiosos ao longo dos anos.

Bianca estava levemente receptiva à minha nova área de interesse. Acima de tudo, estava esperançosa com a possibilidade de ter um futuro marido menos estressado. Mas ela também sabia que eu tinha acabado de superar uma obsessão pelo aquecimento global. Era razoável presumir que essa seria apenas mais uma de minhas fixações passageiras, só que um pouco mais excêntrica.

Ou seja, eu ainda estava no mesmo patamar em que me encontrava ao final da entrevista com Tolle. Como ele não foi capaz de responder às minhas dúvidas e eu nem conseguia entender direito sua teoria, comecei a me desesperar. Então me lembrei do que Chopra tinha dito no final da nossa entrevista: "Passe mais tempo comigo." Poucos dias depois, ele havia mandado vários de seus livros para o meu escritório e me enviara e-mails e mensagens de texto. Naquele momento, sem muita perspectiva, acabei me rendendo. *O que eu tinha a perder?*

Deepak vestia uma camiseta preta com lantejoulas bordadas formando o sinal da paz quando me recebeu entusiasmado na filial de Manhattan do Chopra Center. Fizemos um tour pelo local, que ficava dentro de um hotel chique e oferecia tratamentos de spa, consultas médicas, ioga e leituras astrológicas, além de uma loja que vendia incontáveis produtos com sua marca pessoal.

Felicia e eu decidimos fazer o perfil de Deepak para o *World News* de domingo. Não foi difícil convencê-lo a aceitar nosso convite, e logo ficou óbvio como esse homem tinha chegado à lista das celebridades mais ricas na revista *Forbes*, com uma renda estimada em US$ 22 milhões por ano. Sob vários aspectos, ele era uma contradição ambulante. Afirmava estar sempre vivendo no momento presente, mas caminhava pelas ruas teclando furiosamente em seu celular. Alegava viver num estado de "fluxo" e "espontaneidade natural", mas parecia bastante concentrado em sua autopromoção mundana. Enquanto gravava um vídeo promocional de um livro, ele pediu ao câmera: "Vê se não me faz parecer gordo." Essas ações não eram típicas de um homem em perfeita harmonia consigo mesmo; isso era o tipo de coisa que *eu* fazia.

Gravamos parte da entrevista numa mesa de piquenique no Central Park, onde demonstrei duvidar de sua autoproclamada serenidade. Trazendo à memória a atuação dele no debate em que o conheci, comentei:

– Eu já vi o senhor ficar bem agitado.

– Sim, eu estava agitado – respondeu ele. – Mas você viu alguma raiva, ressentimento ou hostilidade em mim?

– Não posso ler a sua mente, mas, pela sua linguagem corporal, o senhor não parecia muito satisfeito.

– Sem paixão, a pessoa anda como um morto-vivo – disse ele.
– Mesmo envolvido numa discussão acalorada, eu não estava estressado.

Seria aquilo apenas um "envolvimento", e não estresse? Deepak insistia em que não se estressava havia décadas. Ele me disse que, quando era um jovem médico, fumava dois maços de cigarro por dia e bebia demais. Mas, de uma hora para outra, tudo mudou. "Finalmente decidi colocar um ponto final naquela vida." Ele pediu demissão do emprego e foi trabalhar com o barbudo indiano Maharishi Mahesh Yogi (famoso por ter sido o guru oficial dos Beatles). Deepak tornou-se o braço direito do Maharishi. Mas o jovem começou a sentir que o grupo tinha se tornado uma espécie de culto, então deixou o templo.

Liberto da restrição hierárquica, Deepak alçou voo. Ele estava especialmente interessado nos casos de "remissões espontâneas", aquelas curas inexplicáveis de pessoas que antes sofriam de doenças graves. Como não conseguiu publicar sua pesquisa em nenhum jornal científico, pagou US$ 5 mil a uma pequena editora e lançou seu estudo como livro. Foi um sucesso. Muitos outros títulos se seguiram. Ele ficou amigo de Michael Jackson, que o apresentou a Oprah Winfrey, responsável por torná-lo famoso na televisão. O resto todos já sabem.

Eu não tinha nenhuma certeza sobre ele. Assim como Tolle, Deepak era uma desconcertante mistura do incompreensível com o interessante. Eu gostava quando ele dizia coisas como: "O fato de você existir é um evento altamente improvável estatisticamente, e, se você não se sentir surpreso por existir, não merece estar aqui."

Era infinitamente mais divertido ficar ao lado de Chopra do que de Tolle – eu preferia o estilo malandro e ambicioso do indiano ao distanciamento emocional magnânimo do alemão. Eckhart me deixava confuso porque, embora eu acreditasse que ele era sincero, não tinha certeza se ele era muito bom da cabeça. Com Deepak era o contrário: eu sabia que ele não era maluco, mas não tinha certeza se era sincero. Inacreditável como alguém podia se esforçar tanto para fazer sucesso e mesmo assim insistir que não sentia estresse algum. As coisas que ele me disse poderiam ter respondido às minhas dúvidas sobre derrotar o ego sem perder a paixão, mas eu não conseguia acreditar muito nele.

Meu passo seguinte foi motivado por puro desespero. Felicia e eu decidimos lançar uma série de matérias sobre autoajuda para o *World News* de domingo, que chamamos de Felicidade S.A. A ideia era mergulhar naquele universo que rendia US$ 11 bilhões por ano, atraindo um número cada vez maior de seguidores à medida que as pessoas começavam a se afastar das religiões organizadas. Como não obtive respostas claras nem de Tolle nem de Chopra, essa parecia ser a única solução para mim. O que encontrei, no entanto, não foi nem um pouco animador.

Entrevistei alguns dos grandes nomes da autoajuda e não demorei muito para perceber que a resposta que eu buscava não estava ali. Felizmente, com o auxílio de Bianca, acabei encontrando algo bem mais promissor.

Capítulo 5
JuBu

Eu estava no Tribeca Grand, rodeado por pessoas bem-vestidas bebendo cervejas importadas em cadeiras acolchoadas. Jamais poderia imaginar que encontraria ali o tipo de guru que eu estava procurando (na verdade, até aquele momento eu ainda não havia me dado conta de que estava procurando um guru).

O homem de pé ao meu lado no bar não adotava esse título, e isso era parte de seu apelo. Ele era totalmente razoável e se expressava bem, além de ter credenciais verdadeiras, como um diploma de Medicina de Harvard. Sua mensagem básica era que o melhor programa de autoajuda fora criado havia 2.500 anos.

As sementes para esse encontro haviam sido plantadas em minha própria casa, quando Bianca me entregou dois livros escritos por alguém chamado Dr. Mark Epstein. Ela me disse que, após meses me ouvindo discorrer sobre Eckhart Tolle e companhia, finalmente se lembrou de por que aquelas ideias lhe soavam familiares. Cerca de 10 anos antes, ela havia lido alguns livros de Epstein, que era um psiquiatra e praticante do budismo.

E assim passei mais uma noite acordado, envolvido numa leitura reveladora. O que encontrei naquelas páginas me deu uma enorme satisfação – foi como finalmente alcançar um lugar nas costas que coçava muito. Em pouco tempo as coisas ficaram claras para mim: as ideias de Tolle eram largamente baseadas no budismo. Ele não havia concluído aquelas coisas sozinho. Na verdade, dois milênios e meio antes dele, Buda diagnosticara de forma brilhante o funcionamento da mente humana.

Estava tudo ali: o conceito da insaciabilidade, a incapacidade de estar presente, o pensamento repetitivo e autorreferencial. "Estamos constantemente murmurando, resmungando, arquitetando ou perguntando coisas a nós mesmos em silêncio", escreveu Epstein. "Eu gosto disso. Não gosto daquilo. Ela me magoou. Como posso obter aquilo? Grande parte de nosso diálogo interior é feito por um protagonista infantil e egoísta que reage às nossas experiências. Nenhum de nós avançou muito além daquela criança de sete anos que vigiava atentamente quem ganhou mais." Havia também passagens divertidas sobre a tendência humana a se jogar de uma experiência prazerosa em outra, sem nunca atingir a satisfação. Epstein descreveu perfeitamente meu hábito de catar em meu prato a próxima garfada perfeita antes mesmo de saborear a que já estava em minha boca.

Apesar de agora eu ser um repórter de religião, minha ideia sobre o budismo era bastante limitada: Buda vinha de algum lugar da Ásia; era obeso; seus seguidores acreditavam em coisas como carma, renascimento e iluminação.

Epstein deixa claro, no entanto, que você não precisa acreditar em nenhum desses conceitos para obter os benefícios do budismo. O próprio Buda não se apresentava como um deus ou profeta. Ele dizia às pessoas para não adotarem seus ensinamentos antes de testá-los por si mesmas. Ele nem estava tentando iniciar uma nova religião. Na realidade, a palavra budismo foi inventada por estudiosos ocidentais do século XIX que descobriram e traduziram os textos originais. Pelo que entendi, o budismo parecia ser menos uma fé do que uma filosofia. De acordo com Epstein, Buda pode ser considerado o "psicanalista original". Para minha surpresa, o autor parecia estar argumentando que praticar o budismo era melhor do que se consultar com um psicoterapeuta. "A terapia muitas vezes leva à compreensão sem alívio", escreveu.

As limitações da psicoterapia, que Epstein admitiu com sinceridade, foram exatamente o que senti na minha experiência pessoal. Claro que eu era grato ao Dr. Brotman por me fazer desistir das drogas e tudo o mais. No entanto, ainda me sentia desapontado por ele não ter chegado a uma "teoria unificadora" para explicar meu modo de pensar e agir. Foi aí que percebi que, mesmo que Brotman tivesse descoberto alguma ferida primordial, eu não estaria muito melhor do que estava então. Pelo visto, a limitação não era do meu terapeuta, mas da terapia em si.

Então o que era essa não-propriamente-uma-religião que seria mais eficaz para salvar almas torturadas do que um psicólogo? Ataquei a questão da mesma maneira que faria numa grande reportagem investigativa, tentando aprender tudo que pudesse sobre o assunto. Comprei uma tonelada de livros, adicionando-os à pilha de volumes de autoajuda que mal se equilibrava na minha mesa de cabeceira.

De acordo com a história oficial, Buda nasceu cerca de quinhentos anos antes de Cristo no nordeste da Índia, onde hoje fica o Nepal. Segundo a lenda, a mãe dele engravidou espontaneamente, no que parece a versão budista da Imaculada Conceição. Ela morreu sete dias depois, deixando o bebê Sidarta para ser criado pelo pai, um rei da região.

Um sábio local disse ao rei que Sidarta, ao se tornar adulto, seria ou um monarca poderoso, ou um grande líder espiritual. Para garantir que o futuro do menino fosse o trono, o rei ordenou que ele permanecesse confinado dentro dos muros do palácio, protegido do mundo exterior ou de qualquer coisa que pudesse lhe despertar alguma tendência mística.

Aos 29 anos de idade, porém, Sidarta não suportou a curiosidade e fugiu de casa para se tornar um monge andarilho. Era uma prática comum naquele tempo: homens que renunciavam às suas posses, raspavam a cabeça e andavam descalços pelas florestas procurando o despertar espiritual. O príncipe fez isso durante seis anos, até que uma noite ele se sentou sob uma figueira e jurou não se levantar dali até atingir a iluminação. Ao amanhecer, o homem antes conhecido como Sidarta abriu seus olhos e viu o mundo como o Buda, "aquele que despertou".

Para um cético como eu, obviamente não dava para acreditar naquela história. No entanto, a essência daquilo que Buda teria compreendido sob a figueira era fascinante. Sua tese principal, eu acho, era que, num mundo onde tudo está constantemente mudando, nós sofremos porque nos agarramos a coisas que não vão durar. Um dos temas centrais do "darma" (que pode ser traduzido grosso modo como "ensinamento") de Buda girava em torno da mesma palavra que costumava pairar em minha consciência quando eu pensava na imprevisibilidade do telejornalismo: "impermanência". Buda adotava um truísmo muitas vezes ignorado: nada dura para sempre – incluindo nós mesmos. Nós e todos os que amamos vamos morrer. A fama se dissipa, a beleza se desvanece, até continentes se movem. Nossos corpos são feitos de átomos oriundos das primeiras estrelas da Grande Explosão. E tudo isso acontece num universo infinito. Podemos saber de tudo isso intelectualmente, mas no nível emocional estamos condicionados a negar essa realidade. Nós nos comportamos como se houvesse um solo firme sob nossos pés, como se tivéssemos controle de alguma coisa. Isolamos os idosos em asilos e fingimos que a velhice nunca chegará para nós. Sofremos porque nos afeiçoamos a pessoas e posses que um dia irão desaparecer.

Quando nosso cabelo começa a cair, quando não garantimos a dose de adrenalina da zona de guerra, ficamos ansiosos e tomamos péssimas decisões.

Ao contrário da maioria das religiões que conheci como repórter, o budismo não estava prometendo salvação na forma de um dogma que desafia a morte, mas sim através da aceitação daquilo que irá nos destruir. O caminho para a verdadeira felicidade, dizia Buda, era atingir uma compreensão visceral da impermanência – isso irá ajudá-lo a enxergar seus dramas e desejos sob uma perspectiva mais ampla, evitando altos e baixos emocionais. Acordar para a realidade transitória da vida ajuda os humanos a se "desprender", a se libertar de seus "apegos". Como disse um escritor budista, a chave é reconhecer a "sabedoria da insegurança".

Essa expressão calou fundo em mim. Era o exato oposto do lema que carreguei pela vida inteira: o preço da segurança. Isso me fez enxergar minhas preocupações profissionais sob uma luz totalmente nova. Se a segurança não existia, por que me importar com a insegurança?

Durante 2.500 anos os budistas mapearam a mente de forma extensiva e compilaram suas descobertas em listas meticulosas: As Três Marcas da Existência, As Quatro Nobres Verdades, Os Quatro Estados Sublimes, Os Sete Fatores da Iluminação, etc. Eles deram nomes a muitos hábitos mentais que eu percebia em mim mesmo, como a "mente comparadora" e a "mente cobiçosa". Também tinham um termo para minha mania de sempre pensar no pior cenário para o futuro: *prapañca*, que significa algo como "proliferação" ou "a tendência imperialista da mente". Achei essa uma linda maneira de descrever o mecanismo – algo acontece, eu me preocupo e a preocupação instantaneamente coloniza o meu futuro. Minha expressão budista favorita, no entanto, era a que usaram para falar dos nossos pensamentos, que saltam de um lado para outro: "mente de macaco". Sim, nossas mentes são como miquinhos: sempre agitados, nunca descansam.

Embora eu estivesse encantado com a visão budista, algumas questões ainda me deixavam inquieto. A ênfase no "desprendimento" não seria uma receita para a passividade? A negação do desejo não seria uma forma de dizer que não vale a pena nos esforçarmos pelas coisas? Além disso, o que há de errado em nos "apegarmos" às pessoas que amamos?

Havia outras coisas que eu não compreendia. Se o budismo queria levar à felicidade, como então uma das principais declarações de Buda era "A vida é sofrimento"? E ainda tinha a questão da iluminação. Buda alegava que era possível atingir o "fim do sofrimento" para chegar ao Nirvana. Apesar de toda minha confusão, quanto mais aprendia sobre aquela figura histórica (que antes não passava de um ornamento de jardim), mais intrigado eu ficava. Sentia que finalmente tinha encontrado algo substancial. Essa não era apenas uma doutrina de um alemão esquisito, mas uma tradição milenar reconhecida por gente séria como o Dr. Epstein. Minha busca, que até então havia sido caótica, parecia enfim ter encontrado a direção certa.

No meio da minha festa de casamento nas Bahamas, decidi fazer um esforço consciente para pôr em prática tudo o que tinha aprendido sobre budismo até ali. O jantar já havia sido servido e as pessoas estavam dançando. De repente cerca de oito músicos locais entraram marchando, vestindo trajes típicos, tocando trompetes, trombones, tubas e tambores. Levei um minuto para reconhecer a música, "I Still Haven't Found What I'm Looking For" ("Ainda não encontrei o que estou procurando"), do U2. *Talvez não seja a letra mais apropriada para um casamento*, pensei. Mas tudo bem. A música era linda e os nossos convidados estavam amando o show. Agarrei Bianca, que estava incandescente em seu belo vestido, e comecei a puxar uma fila atrás da banda. Eu estava totalmente presente no momento. Não estava me apegando: sabia que o momento não duraria e por isso estava tirando o máximo proveito dele enquanto podia.

Nunca acreditei que pudesse me divertir em meu próprio casamento. Acabou sendo o melhor fim de semana da minha vida.

A cerimônia foi relativamente íntima: apenas cinquenta pessoas, entre familiares mais próximos e amigos. Ficamos todos na ilha Harbour por três dias. De manhã aproveitávamos a praia e de noite fazíamos festas. Era difícil não ser feliz num lugar como aquele. Além disso, eu tinha certeza de que havia tomado a decisão certa. Não podia me imaginar casando com outra pessoa que não fosse Bianca.

Mas havia algo mais. Durante aquele fim de semana, eu me esforcei deliberadamente para fazer pausas e olhar à minha volta, saboreando as coisas enquanto elas durassem. Houve pequenos momentos – quando ajudei Bianca a organizar a festa, quando cuidei da minha sobrinha, uma bebezinha adorável, enquanto todos saíram para almoçar – em que eu realmente me diverti. Também houve grandes momentos, como quando vi minha futura esposa andando em direção a mim, em que me perguntei como pude ter tanta sorte.

No entanto, assim que voltamos da lua de mel, minha tendência à preocupação excessiva voltou a atacar – tudo por causa de um dilema no trabalho que eu simplesmente não consegui enfrentar de forma budista.

Numa noite de sexta-feira, vi David Muir apresentando o programa *World News*. Ele estava fantástico, e essa constatação me jogou numa combinação tripla de "mente comparadora", "mente de macaco" e *prapañca*.

Eu estava me sentindo péssimo – e me sentindo mal por me

sentir péssimo. Afinal, eu gostava do cara. Essa situação trouxe à tona novamente uma questão que me incomodava no budismo. Ser competitivo não teria uma utilidade? O "preço da segurança" seria mesmo incompatível com a "sabedoria da insegurança"?

Chegou a hora de usar meu trunfo: liguei para o consultório de Mark Epstein dizendo que era repórter e gostaria de entrevistá-lo. Ele retornou na mesma hora, aceitando o convite.

Então, após cerca de uma semana, oito meses depois de eu ter descoberto Eckhart Tolle, peguei um táxi e segui para meu encontro com o psiquiatra budista no hotel Tribeca Grand – um lugar estranhamente moderno para dois caras discutirem espiritualidade oriental.

Quando cheguei, Epstein já estava no bar. Após as preliminares, entrei no assunto que importava. Condicionado pelas entrevistas que havia feito com gurus de autoajuda, comecei perguntando se a vida dele tinha mudado depois que abraçara o budismo. Por um décimo de segundo ele me olhou como se eu fosse maluco, mas depois retomou uma expressão neutra e disse que, como qualquer outra pessoa, sentia tristeza, raiva, obsessão – toda a gama de emoções, negativas e positivas.

– Você consegue estar sempre atento ao momento presente?

– Bem, eu tento estar consciente do que me cerca – afirmou. – Embora nem sempre eu consiga.

– Você acredita em reencarnação?

– É uma ideia bacana – respondeu, dando de ombros.

Então me dei conta de que estava diante de uma espécie ainda não descoberta na minha pesquisa: um ser humano normal. Ele não era um guru no senso popular da palavra, apenas um cara normal com quem eu estava tomando um drinque numa noite de sexta-feira.

Começamos a falar sobre sua vida. Ele não tinha nenhuma história elaborada. Nenhum despertar espiritual repentino, nenhuma voz falando em seu ouvido na madrugada. Descobriu o budismo depois de fazer a matéria Introdução a Religiões do Mundo na universidade. Acabou desenvolvendo um interesse real pelo darma, e isso o ajudou a lutar contra seus sentimentos de vazio e de irrealidade e seus questionamentos sobre se a vida valia a pena.

Expliquei a ele que fora atraído pelo budismo pelas razões opostas. Eu não me debatia com nenhum tipo de vazio interior ou sensação de irrealidade.

– Pelo contrário – falei, mais a sério do que brincando –, eu sinto que tudo é real demais. Ainda tenho uma suspeita residual da infância de que o mundo foi feito para mim e nada acontece fora do meu campo de visão. Isso me colocaria em desvantagem em termos budistas?

Ele achou isso hilário.

– Absolutamente não – respondeu, rindo. – Sua personalidade e a minha são muito diferentes. Eu venho de um lugar mais introvertido, enquanto você é extrovertido. Há uma energia, um entusiasmo, uma impetuosidade maior em você. O budismo pode ser útil para ambas as personalidades.

Perguntei o que um iniciante deveria fazer para se aprofundar nesse mundo. Eu não queria ser um budista propriamente, apenas desejava administrar melhor meu ego. Ele me contou que, após aquele curso de religião em Harvard, começou a andar com vários jovens interessados em espiritualidade oriental. Muitos deles se tornaram professores e escritores influentes, que ajudaram a popularizar o darma na América. Epstein citou alguns nomes e sugeriu que eu lesse alguns dos livros deles. Para mim, era impossível não notar que quase todos os sobrenomes eram judeus: Goldstein, Goleman, Kornfield, Salzberg. Eles tinham até um apelido: os "juBus" (*ju*deus que praticam o *Bu*dismo).

Pareciam um grupo formidável. Mark teorizou que muitos desses jovens judeus, ao serem criados em ambientes seculares, sentiam um vazio espiritual em suas vidas. Nas décadas seguintes, os juBus foram uma grande força na tradução da sabedoria do Oriente para o público ocidental. Mark mencionou que ele e alguns de seus colegas promoviam seminários em Nova York, o que poderia ser uma boa oportunidade para responderem minhas perguntas.

Gostei do cara. Havia certa compatibilidade entre nós. Ele poderia ser um tio meu. Queria ficar amigo dele, mas, acima de tudo, queria descobrir como atingir aquilo que ele parecia ter. Não era uma suposta serenidade inquebrantável e forçada, mas uma autoconfiança tranquila e digna, um charme natural. Ele não negava suas neuroses; parecia achá-las mais engraçadas do que irritantes.

Em geral, quando eu começava a pedir conselhos práticos, recebia de volta uma avalanche de não respostas. Mark, entretanto, tinha uma receita bem objetiva. Era aí que os budistas divergiam dos falsos gurus: eles tinham um programa verdadeiro e prático, gratuito, disponível a qualquer um. Era um golpe de jiu-jítsu interior para derrubar o babaca dentro da sua cabeça e desarmá-lo pacificamente. As propostas do budismo para isso, no entanto, não me atraíam nem um pouco.

Capítulo 6
O poder do pensamento negativo

Meu horror a tudo que fosse associado aos hippies ou à Nova Era vem desde os meus 5 anos, na década de 1970. Meus pais resolveram me colocar num curso de ioga infantil na escola. Fui à primeira aula usando calça jeans. A professora decretou que minha roupa não era flexível o suficiente, então, na frente de todas as outras crianças, ela me mandou tirar o jeans e fazer as saudações ao sol apenas de cueca.

Meus traumas de infância – que também incluíam acampamentos e idas a lojas de produtos naturais com cheiros estranhos – foram somados ao tempo que passei na Colby College, uma universidade pequena, liberal e voltada para artes e ciências humanas.

Tudo isso me deixou numa posição complicada em relação ao budismo. Epstein e seus companheiros argumentavam que a única forma de domar a mente de macaco, compreender a impermanência e derrotar a tendência ao apego era meditar – e eu não tinha a menor intenção de seguir esse conselho. A meditação me dava a impressão de ser a destilação de tudo de mais ridículo no estilo de vida granola. Eu me imaginei sentado numa dolorosa posição de pernas cruzadas, numa sala com cheiro de chulé, ao lado de "praticantes" com ar superior tocando sininhos, olhando para cristais, entoando *om* e tentando flutuar em direção a alguma nuvem cósmica.

Acrescentando a toda essa resistência o meu déficit de atenção, achei que não haveria a menor possibilidade de minha mente sempre agitada conseguir parar de pensar.

Esse impasse poderia ter continuado indefinidamente, mas um mês depois de meu encontro com Epstein fui ao meu psiquiatra. Estava relutante em contar para o Dr. Brotman sobre meu interesse recente no budismo porque, como eu, ele tinha aversão a sentimentalismos. Mas, quando confessei, ele contou que um colega seu de Harvard havia escrito um livro sobre os benefícios da meditação para a saúde e que achava que a prática poderia me fazer bem.

Fui ler o tal livro do amigo do Dr. Brotman. A teoria desse médico era que, na vida moderna, nosso instinto primitivo estava sendo despertado com demasiada frequência – em engarrafamentos, reuniões com chefes, etc. – e isso contribuía para a atual epidemia de doenças cardíacas. Mesmo que esses confrontos cotidianos fossem benignos, nosso organismo não sabia disso e reagia como se estivesse num cenário de matar ou morrer, liberando toxinas do estresse na corrente sanguínea. Ele havia realizado pesquisas mostrando que a meditação podia reverter os efeitos do estresse e reduzir a pressão arterial – o que chamou a atenção do meu lado hipocondríaco.

Em seguida li alguns livros que ensinavam meditações budistas e aprendi que não era preciso entoar frases em sânscrito ou ouvir músicas de Cat Stevens. Talvez minha postura anterior em relação a isso fosse mais um exemplo de como eu chegava a conclusões apressadas. Minha resistência estava começando a ruir.

A renúncia repentina a tudo em que uma pessoa acreditava previamente é uma parte já estabelecida do repertório humano. A minha aconteceu no chão de uma casa de praia.

Era o último fim de semana de agosto e Bianca e eu estávamos alugando, junto com um grupo de amigos, uma casa que era um antigo estábulo reformado. Uma tarde, à beira da piscina, depois de terminar mais um livro sobre meditação budista, um pensamento veio à minha cabeça: será que eu deveria tentar meditar agora? Estava num momento de fraqueza. Influenciado pelas evidências científicas e com meus pontos de referência desorganizados por meses de imersão no budismo, decidi: vou tentar.

Embora os amigos que estavam conosco parecessem ter a mente aberta, eu não tinha certeza do que eles pensavam sobre a meditação – e nem queria descobrir. Então me escondi no nosso quarto para tentar praticar pela primeira vez.

As instruções eram muito simples, o que me tranquilizou:

Sente-se confortavelmente. Você não precisa cruzar as pernas. Acomode-se numa cadeira, numa almofada ou no chão – onde quiser. Apenas certifique-se de que sua coluna esteja ereta.

Sinta sua respiração para dentro e para fora. Escolha um ponto (narinas, peito ou barriga) e concentre ali sua atenção para realmente *sentir* a respiração. Se ajudar a direcionar sua atenção, você pode usar uma suave anotação mental, como "dentro" e "fora".

Sempre que sua atenção se dispersar, perdoe-se e gentilmente retorne à respiração. Você não precisa livrar a mente de todos os pensamentos; isso é impossível. O jogo consiste em pegar a sua mente de volta quando ela fugir e depois devolvê-la à respiração, quantas vezes for preciso.

Sentei-me no chão encostado na cama, com as pernas estendidas à frente. Coloquei o despertador do celular para tocar dali a cinco minutos e mandei brasa.

Dentro.
Fora.
Dentro.
Arbusto. Eu gosto dessa palavra.
Por que, sob uma perspectiva evolutiva, nós gostamos do cheiro de nossa própria sujeira?
Concentre-se, cara.
Dentro.
Fora.
Minha bunda tá doendo. Vou me mexer um pouco.
Dentro.
Agora estou com uma coceira na sola do meu pé esquerdo.
Qual é o habitat natural dos hamsters? Qual foi a melhor invenção dos últimos tempos?

E continuei assim até soar o alarme. Naquele momento, parecia que uma eternidade havia se passado.

Ao abrir os olhos, eu já tinha uma atitude totalmente diferente quanto à meditação. Não é que tivesse passado a gostar, mas passei a respeitá-la. Descobri que a meditação não era uma técnica de passatempo hippie, mas um exercício cerebral rigoroso: uma tentativa permanente de redirecionar o trem descarrilhado da mente. Era como tentar segurar um peixe. Lutar com a mente até dominá-la exigia muita determinação. Aquilo era para os fortes.

Resolvi meditar todos os dias. Comecei acordando um pouco mais cedo toda manhã e reservando 10 minutos para me sentar no chão da sala, com as costas no sofá. Quando viajava a trabalho, eu meditava no chão do quarto do hotel.

Não ficou mais fácil com o tempo. Assim que me sentava, já começava a ter acessos de coceira. Depois vinha a fadiga: era como se uma gosma pegajosa de torpor escorresse da minha testa. Em seguida, o jorro de pensamentos voltava com força total. Tentar frear o pensamento era como varrer um chão infestado de baratas. Você até conseguia limpar o espaço por alguns instantes, mas logo os insetos voltavam correndo, de todos os lados. Eu sabia que precisava apenas me perdoar, mas, sempre que minha mente vagava, eu sentia vergonha. As coisas que me distraíam eram completamente banais: O que vou comer hoje no almoço? Devo cortar o cabelo? Como *Dança com Lobos* conseguiu ganhar o Oscar?

Quando não me perdia em elucubrações aleatórias, ficava pensando no tempo que faltava para terminar, louco para acabar aquele sacrifício. Ao fim dos 10 minutos, meu maxilar estava cansado de se contrair. Quando tocava o alarme, às vezes eu levantava correndo.

Sempre via estátuas do Buda com um rosto sorridente e rechonchudo (descobri depois que o "Buda sorridente" é, na verdade, um monge chinês medieval que acabou se fundindo no imaginário ocidental com o Buda histórico, que só fazia uma refeição por dia e provavelmente era esquelético). A palavra *zen* tinha se tornado sinônimo de "tranquilo". Mas tudo isso era propaganda enganosa. A meditação budista era diabolicamente difícil. Apesar disso, ela conseguia, sim, aquietar a mente de macaco, mesmo que por um momento. Era como enganar o miquinho peludo distraindo-o com algo brilhante para que ele permanecesse parado. A meditação era um remédio real, uma rota de fuga temporária para a auto-obsessão. Podia não ser fácil ou confortável, mas era a melhor – e única – solução que eu havia encontrado.

Rapidamente, meus esforços começaram a render frutos na vida cotidiana. Passei a usar a respiração para me trazer de volta ao momento presente – em filas de aeroporto, esperando o elevador e assim por diante. Descobri que era um exercício surpreendentemente agradável. Viver era como entrar numa sala conhecida onde todos os móveis haviam sido mudados de lugar. Na "vida real", eu conseguia ter mais compaixão por mim mesmo do que nos períodos em que estava meditando. Cada momento era uma oportunidade de me refazer. Um milhão de chances de recomeçar.

A meditação estava alterando radicalmente o meu relacionamento com o tédio, algo que passei a minha vida inteira me esforçando para evitar. Meu dia era sempre preenchido de distrações para evitar momentos de ociosidade: eu olhava o celular quando parava no sinal vermelho, levava papéis do trabalho para ler na sala de espera do médico e assistia a vídeos no meu telefone quando andava de táxi.

Então passei a ver os momentos entre uma coisa e outra – o minuto antes de entrar no ar, o tempo livre enquanto minha equipe de filmagem aprontava o local para a entrevista – como uma oportunidade de me concentrar na minha respiração ou apenas de observar tudo à minha volta. Assim que entrei nesse jogo, percebi que passara grande parte da minha vida como sonâmbulo, com minha mente me jogando para a frente e para trás. Eu via o mundo através de um véu formado por pensamentos entrelaçados que criavam uma espécie de barreira entre mim e a realidade.

Os efeitos concretos da meditação e minhas tentativas de permanecer presente na vida diária foram surpreendentes. Nesses momentos, era como se eu mergulhasse num oceano de tranquilidade. Passei a estar mais consciente e a me ancorar na realidade.

Tudo isso era maravilhoso, mas ainda não era o ponto principal.

O molho secreto do budismo era conhecido por "atenção plena". Essa expressão significa reconhecer o que está acontecendo em sua mente agora mesmo – raiva, ciúme, tristeza, a dor de bater com o dedão no pé da cama ou o que for – sem se deixar dominar por isso. De acordo com Buda, temos três respostas habituais para todas as experiências: nós queremos, rejeitamos ou ignoramos. Biscoitos: eu quero. Mosquitos: eu rejeito. Instruções de segurança no avião: eu ignoro. A atenção plena é uma quarta opção, uma forma de ver o conteúdo de nossa mente sob uma perspectiva não julgadora. Eu achava essa teoria bacana mas totalmente impraticável.

Durante a meditação, a melhor oportunidade para praticar a atenção plena é quando você sente coceira ou dor. Em vez de se coçar ou mudar de posição, você tem que ficar ali e simplesmente testemunhar o desconforto. A orientação é apenas "observar" a sensação, colocando um rótulo mental: *coçando* ou *doendo*. Para mim, isso era impossível. Eu sentia dor e começava a questionar as escolhas que estava fazendo na vida. Não conseguia evitar o julgamento: estava odiando aquilo.

A ideia é que, uma vez que a pessoa domine a arte de contemplar passivamente coisas como a coceira na meditação, mais tarde ela será capaz de aplicar isso aos pensamentos e emoções. Ao aceitá-los sem julgar – *Ah, isso é um momento de autopiedade... Ah, isso é uma ruminação sobre assuntos de trabalho* –, você conseguiria diminuir grande parte da carga emocional negativa do conteúdo da consciência.

Era fácil ver como essa técnica funcionava. Por exemplo, se eu recebesse um telefonema dos editores do *World News* dizendo que a matéria que levara horas para produzir não iria mais ao ar no programa daquela noite, minha resposta usual seria pensar: *Estou furioso*. Por reflexo, eu iria investir totalmente naquele pensamento e realmente *me tornar* furioso. Então reclamaria com a pessoa do outro lado da linha (embora soubesse que esse tipo de corte acontecia com frequência). Depois ficaria chateado por ter gastado tanta energia naquela matéria e me sentiria culpado por demonstrar minha irritação com o colega ao telefone. O objetivo da atenção plena era causar um curto-circuito naquela reação em cadeia habitual e automática.

Depois que comecei a pensar nesse sistema de combustão psicológica espontânea, percebi como eu era impelido por meu ego. Passei muito tempo me deixando levar por uma onda de impulsos habituais. Foi isso que me conduziu às desventuras da guerra, às drogas e à depressão. Foi o que me fez comer demais por ansiedade e ser grosseiro com minha mulher quando estava estressado com o trabalho. A atenção plena representava uma alternativa a essa maneira de viver por reflexo.

Isso não é nenhum truque mental. A contemplação é um traço inato, é algo que nos torna humanos. Taxonomicamente, somos classificados como *Homo sapiens sapiens*, "o homem que pensa e sabe que pensa". Ou seja, podemos fazer mais do que pensar: também podemos estar conscientes das coisas sem julgá-las. O pensamento sem consciência pode ser um vilão implacável.

Para dar um exemplo: você pode ter *consciência* de sua fome, mas *pensa* sobre onde fará sua próxima refeição e se ela incluirá carne de porco. Você pode ter *consciência* da pressão na sua bexiga lhe dizendo que é hora de fazer xixi, mas *pensa* se a frequência com que precisa urinar significa que você está envelhecendo e precisa fazer um exame de próstata. Há uma grande diferença entre as sensações propriamente ditas e a acrobacia mental que fazemos como reação a esses estímulos.

Os budistas têm uma analogia bem útil para isso. Visualize a mente como se fosse uma cachoeira. A água é a torrente de pensamentos e emoções; a atenção plena é o rio antes da queda. Mais uma vez, uma bela teoria – e mais fácil falar do que fazer.

Havia muitas áreas da minha vida que precisavam desesperadamente dessa capacidade de consciência. Comer, por exemplo. Após me afastar das drogas, a comida se tornou um substituto para acionar minha dopamina. Depois que conheci Bianca, a comilança piorou, pois fiquei mais caseiro e mais feliz. Ela cozinhava muitas massas e fazia biscoitos deliciosos. Eu comia um prato atrás do outro. Na verdade, estava alimentando mais os centros de prazer do meu cérebro do que o meu estômago. Quando minha barriga começou a crescer, tornou-se uma fonte de preocupação tão grande quanto as entradas do meu cabelo.

Mas houve um evento em especial em que eu deveria ter usado a técnica da atenção plena: em setembro de 2009 eu soube que o âncora principal do *World News*, Charlie Gibson, havia decidido deixar o programa e que Diane Sawyer tomaria o lugar dele, deixando a bancada do *Good Morning America*. Eu sabia que isso seria ótimo para ela, mas não levou muito tempo até que eu pensasse: *O que tudo isso significa para mim?* A saída de Diane teria um efeito em cadeia por todo o telejornalismo da emissora. Eu era apresentador do *World News* havia quatro anos e ainda adorava esse trabalho, mas, se outros postos mais importantes se abrissem, eu estava interessado.

Quando um dos âncoras do *Nightline* também saiu, manifestei meu desejo de assumir o seu lugar. Mas havia outro candidato ao cargo: Bill Weir, o âncora de fim de semana do *GMA*. Meus chefes sugeriram que eu considerasse a possibilidade de entrar no lugar dele, caso Bill fosse escolhido para o *Nightline*. Inicialmente, pensei em recusar, mas acabei reconsiderando. Nesse posto, meu tempo no ar seria quadruplicado (da meia hora aos domingos para duas horas aos sábados e domingos) e eu teria a oportunidade de me testar como um apresentador descontraído, diferente do âncora sério e solene que me acostumara a ser no *World News*. Respondi que estaria disposto a aceitar, mas deixei claro que minha primeira opção ainda seria o *Nightline*. Agora eu estava na posição delicada de me candidatar a dois cargos ao mesmo tempo – e nenhum dos dois era garantido. Comecei a imaginar as piores consequências possíveis.

Consegui marcar uma reunião com o diretor da divisão de jornalismo, David Westin, para argumentar a meu favor. Achei que tinha me saído bem, mas não podia ter certeza; David era mestre em dizer muito sem se comprometer realmente com uma posição. Ao chegar à minha sala, meu humor já havia azedado. Bastaram alguns momentos refletindo para eu ter a sensação de que ele não iria me escolher.

Nunca precisei tanto de serenidade quanto naquele momento. Tentei meditar no sofá do escritório, mas não consegui me distanciar da situação. Simplesmente não conseguia me colocar atrás da cachoeira. Toda vez que tentava observar meus pensamentos e minha frustração, eu não sabia o que procurar. Afinal, observar e colocar rótulos não seria também uma forma de pensar?

E, espere um pouco – não haveria um valor prático para a inquietude? Só porque meus pensamentos não eram reais não queria dizer que não estivessem conectados a problemas concretos que precisavam ser resolvidos.

Lá estava eu, de volta à estaca zero, ponderando sobre as mesmas questões que me fizera depois de ler Eckhart Tolle. Ainda tinha uma certeza inabalável de que olhar para um problema de todos os ângulos era vantajoso para minha vida. Mesmo assim, achava que o excesso de preocupação estava me deixando louco.

Passei as semanas seguintes me sentindo para baixo. Tentei "perceber e rotular" isso, mas não sabia se estava fazendo direito. Decidi que era hora de seguir o conselho do meu novo amigo Mark Epstein.

O evento era num salão enorme do hotel Sheraton Towers, em Manhattan. Assim que cheguei, me arrependi. Estava lotado de gente, a maioria mulheres de meia-idade usando brincos chamativos e echarpes multicoloridas – qualquer uma delas poderia ser aquela professora de ioga que me fizera tirar as calças na frente das outras crianças.

Eu já tinha visto coisas muito piores, claro. Mas a diferença era que eu não estava ali como um jornalista fazendo seu trabalho, mas como um participante que pagou para assistir a três dias de conferência budista. Fiquei enjoado só de pensar nisso.

A primeira palestrante foi uma mulher de uns 50 anos chamada Tara Brach. Seu tom de voz era cremoso e enjoativo. Ela nos convidou a fechar os olhos e "confiar na *oceanidade*, na vastidão, no mistério, na consciência e no amor – para que pudéssemos sentir: 'Não há nada de errado comigo.'"

Mas depois Mark entrou para salvar a noite. "Bem, eu vou dar a vocês uma perspectiva um pouco diferente", disse ele com um olhar maroto, "a de que na verdade há muitas coisas erradas com vocês." A plateia começou a rir, e Tara deu um sorriso totalmente sem graça.

"As pessoas me procuram achando que precisam amar mais a si mesmas, mas eu as aconselho a fazer justamente o contrário", disse Mark. Ele se expressava de forma natural, improvisando, sem truques. Em total contraste com Brach, ele argumentou que precisamos estar em contato com o nosso pior lado. "A atenção plena nos ajuda a examinar o que não gostamos em nós mesmos sem tentar fazer isso desaparecer nem tentar amá-lo." Simplesmente estar conscientes do que somos é tremendamente libertador.

A ideia de nos debruçarmos sobre aquilo que mais nos incomoda me pareceu radical, porque nosso reflexo geralmente é fugir, fazer compras, comer, usar drogas. Mas, como dizem os budistas, "O único caminho para fora é através". Falando isso de forma mais simples: quando uma enorme onda está vindo em sua direção, a melhor maneira de não levar caldo é mergulhar nela. Esse conceito tinha tudo a ver com o que aprendi em minhas experiências mais dolorosas: quando tentamos esmagar alguma coisa, damos poder a ela.

A atenção plena nos aproxima de nossas neuroses, agindo como uma espécie de radar, mapeando nossos microclimas mentais e tornando-os mais aptos a ideias novas. Esse é o poder do pensamento negativo.

Sentado na plateia, eu me sentia orgulhoso de Mark e cada vez mais fascinado pela ideia da contemplação – mas terrivelmente frustrado com minha incapacidade de colocá-la em prática.

Para minha grande surpresa, quem me ajudou a resolver essa questão foi Tara Brach.

Movido por um inexplicável desejo masoquista, mesmo sabendo que Mark não iria se apresentar, voltei no segundo dia da conferência. No início, Brach estava me irritando profundamente com sua ostentação de maneirismos orientais, mas em determinado momento se redimiu.

Ela descreveu um método para praticar a atenção plena em situações difíceis usando o acróstico RAIN (chuva, em inglês):

R: reconheça,
A: aceite,
I: investigue,
N: não se identifique.

"Reconheça" é fácil de explicar. Usando como exemplo a reunião com David Westin, minha primeira tarefa seria reconhecer meus sentimentos. "É como fazer uma pausa diante do que está acontecendo e simplesmente admitir que aquilo é real, que existe", disse Brach.

"Aceite" é quando você se debruça sobre aquilo, quando mergulha na situação. Ou, como Brach definiu de seu modo ímpar, é "oferecer o murmúrio interior do *sim*".

O terceiro passo – "investigue" – é onde as coisas realmente se tornam práticas. Continuando no exemplo de Westin: depois de reconhecer meus sentimentos e aceitá-los, eu deveria observar como eles estavam afetando meu corpo. Estariam deixando meu rosto vermelho, meu coração acelerado, minha cabeça doendo? Intuitivamente, essa estratégia me soava correta, em especial porque eu havia sofrido uma crise de depressão que fora confundida com uma virose por um bom tempo.

O último passo – "não se identifique" – significa entender que quando alguém está furioso, com ciúmes ou com medo, isso não o torna uma pessoa permanentemente furiosa, ciumenta ou medrosa. São apenas estados mentais passageiros.

O plano de Brach parecia muito prático. Mesmo que no início eu tenha implicado com ela, passei a considerar o seu jeito muito reconfortante. Afinal, Brach era uma profissional treinada tanto em budismo quanto em psicoterapia e havia passado a vida toda ajudando as pessoas. Fiquei com vergonha de mim mesmo ao perceber que, mais uma vez, tinha sido injusto prejulgando alguém.

Poucas semanas depois, coloquei os conselhos dela em prática e finalmente me vi por trás da água da cachoeira.

Eu estava num dia péssimo – mais uma vez preocupado se conseguiria uma promoção e me sentindo mal por me preocupar com isso. Deitei no sofá do escritório e tentei usar a técnica RAIN, concentrando-me especialmente na parte da investigação: de que forma meu turbilhão mental estava me afetando fisicamente?

Percebo: coração acelerado,
Cabeça doendo,
Ruminações irracionais quanto ao futuro.

Percebo: preocupação,
Coração acelerado, respiração pesada,
Orelhas quentes.

Não tentei interromper as sensações; apenas senti. Eu estava "reconhecendo", "aceitando" e "investigando".

Taquicardia, tensão, taquicardia.
Consegui! Estou observando a minha angústia!
Percebo: autocongratulação.

O efeito foi como ver dois canais de televisão ao mesmo tempo. Normalmente, meu falatório mental dominava a tela inteira. Quando apertei o botão "contemplar", entretanto, tive uma perspectiva diferente. Eu estava vendo meus pensamentos com mais clareza e, embora ainda doessem, doíam um pouco menos.

Era uma revelação: a voz na minha cabeça, que eu sempre havia levado tão a sério, de repente perdeu muito de sua autoridade. Era como espiar atrás da cortina e ver que o Mágico de Oz não passava de um velho frágil e assustado. Isso não só acalmou minha ansiedade no momento como também me deu a esperança de conseguir lidar com qualquer excesso que meu cérebro fosse capaz de criar dali para a frente.

Aquilo era uma vitória, sim – mas eu ainda tinha dúvidas. Embora a ideia da contemplação fosse claramente muito poderosa, ela ainda não tinha eliminado meus problemas reais. Então, o que havia mudado? Fiz mais uma anotação no arquivo que eu tinha criado no meu celular, chamado "Perguntas para Mark".

Convenci Mark a se encontrar comigo novamente. No saguão do Tribeca Grand, olhei para ele e não pude deixar de pensar que formávamos um par esquisito como amigos. Logo de cara percebi que ele estava louco para me contar alguma coisa.

Mark então falou com um sorriso conspiratório que tinha acabado de conversar com Tara Brach por telefone e ela havia dito que não gostara quando ele a contradissera no palco. Ele conseguiu contar essa fofoca deliciosa sem qualquer sinal de maldade. Argumentei que a obrigação dele não era com Tara, e sim com o público. Ele pareceu agradecido.

Quando perguntei a Mark se a contemplação poderia nos deixar frouxos demais diante dos problemas mais espinhosos da vida, ele citou o incidente com Brach: "É a mesma coisa."

Na conferência, Mark não havia gostado do que Brach dissera. Em vez de criticá-la por reflexo, ele demonstrara sua discordância com calma e delicadeza. Ver um problema com clareza não o impede de agir, ele explicou. Aceitação não é passividade. Às vezes, temos justificativas para ficar chateados. O que a atenção plena faz é criar um espaço em sua mente para que você possa "responder" em vez de simplesmente "reagir". Na visão budista, você não pode controlar o que lhe vem à cabeça; tudo surge de um vácuo misterioso. Perdemos muito tempo julgando a nós mesmos por sentimentos que não surgiram por vontade própria. A única coisa que podemos controlar é a maneira como lidamos com esses sentimentos.

Bingo: responder em vez de reagir. Isso era a chave de tudo.

Mark disse que a contemplação teria efeitos positivos na minha situação no trabalho. "Observar seus sentimentos não fará com que eles desapareçam nem vai resolver seus problemas", explicou, "mas pode fazer você parar de agir às cegas."

Ao tomar uma cerveja no bar do hotel com o psiquiatra que eu forçara a ser meu guru particular, percebi que a melhor estratégia profissional naquele momento era ficar na minha, apenas esperando. Eu já havia apresentado todos os meus argumentos para a chefia; a única coisa que eu poderia fazer agora era trabalhar muito e esperar o melhor resultado possível. Em outras palavras: responder em vez de reagir.

Mark também ressaltou que contemplar era uma habilidade, algo que eu poderia desenvolver à medida que praticasse a meditação. Por conta disso, sugeriu que eu fizesse um retiro. Isso seria muito mais difícil do que ir ao seminário budista e ver Tara Brach. Eu teria que aguentar 10 dias enclausurado num centro budista silencioso com dezenas de outros praticantes de meditação. Sem conversa, sem televisão, sem cerveja – só meditando, o dia todo. Mas ele insistiu que valeria a pena, especialmente se eu fosse para o retiro promovido por Joseph Goldstein, o professor de meditação dele. Mark o elogiava muito. Então achei que, se o cara que eu reverenciava reverenciava Goldstein, eu provavelmente ia gostar do cara também.

Quando estávamos pagando a conta, eu disse:

– Eu adoraria repetir esse encontro todo mês, se você quiser.

– Com certeza – respondeu ele, deixando de prestar atenção na cerveja para olhar nos meus olhos. Com sinceridade total, ele disse: – Eu quero te conhecer.

Essa foi uma das coisas mais bacanas que alguém já havia dito para mim. No final, nós nos despedimos e ele me deu um abraço. Foi tocante; eu realmente gostei de saber que ele queria ser meu amigo, mas ao mesmo tempo pensei: não vou para um retiro nem que a vaca tussa.

Eis que Deepak volta à cena. Com uma campanha pesada por e-mails e mensagens de texto, ele convenceu-me e aos editores do

Nightline a produzir outro debate. Dessa vez, o duelo seria entre Chopra e seu inimigo de longa data Michael Shermer, um ex-fundamentalista cristão que se tornara um militante ateu na área do combate à pseudociência.

O tema do debate era a velha questão sobre Deus e ciência serem incompatíveis ou não. Deepak não acreditava no Deus da Bíblia, a quem chamava de "homem branco morto", mas sim numa inteligência indescritível no coração do universo, uma visão que ele achava que a ciência poderia aceitar.

Uma das primeiras pessoas que encontrei quando cheguei ao local foi Sam Harris, que havia publicado dois livros com críticas ferozes à religião, tornando-se um dos heróis do novo movimento ateu que vinha surgindo no país. Sam estava ali nos bastidores porque Michael Shermer o escolhera como parceiro para o debate. (Deepak convidou uma acadêmica estudiosa de religião chamada Jean Houston.) Eu havia feito uma entrevista com Harris anos antes e nos reconhecemos na hora. Conversando com Sam e sua esposa no camarim, por algum motivo mencionei que estava interessado em meditação. Os dois se animaram, admitindo que também se interessavam pelo assunto.

Por essa eu não esperava. Fiquei sabendo que o Sr. Ateu tivera um passado bem alternativo. Na época da faculdade, Sam experimentara ecstasy e LSD, abandonara os estudos e passara onze anos viajando entre os Estados Unidos e a Ásia, onde vivera em mosteiros e ashrams com diversos mestres de meditação. Durante aquele tempo, ele acumulara cerca de dois anos em retiros silenciosos, meditando entre doze e dezoito horas por dia.

Apesar disso, Sam não se importava em deixar as pessoas furiosas. O auditório estava lotado com partidários dos dois campos, num total de mil pessoas. Chopra e Shermer fizeram discursos inflamados, um acusando o outro o tempo todo.

Quando a gravação terminou, voltei a falar com Sam. Mais uma vez conversamos sobre meditação e ele sugeriu que eu fizesse um retiro. Ao ver o pânico estampado em meu rosto, ele admitiu que poderia ser um pouco difícil, mas que certamente valeria a pena. Ele conhecia um ótimo professor: Joseph Goldstein.

Era impossível ignorar duas pessoas brilhantes recomendando o mesmo professor de meditação. Então corri para ler os livros desse suposto gênio. Embora os livros oferecessem excelentes explicações sobre como empregar a atenção plena para criar um espaço entre os estímulos e as nossas respostas no dia a dia, também havia muita conversa sobre reencarnação, poderes paranormais e "seres em outros planos de existência". Caridosamente, Goldstein dizia que, se o leitor não acreditasse nessas coisas, isso não afetaria suas chances de "libertação".

Minha cabeça não parava de ruminar o conselho de Mark e Sam. Minha curiosidade foi atiçada; um pouco de orgulho estava em jogo. Se era para meditar de verdade, era melhor entrar de cabeça. Pesquisei na internet e descobri que Goldstein estava promovendo um retiro na Califórnia. Tentei me inscrever, mas, para minha surpresa, percebi que não era tão fácil entrar. Havia tantos candidatos que as vagas eram determinadas por uma espécie de sorteio. Telefonei para os assistentes de Goldstein e tentei dar carteirada de repórter para ver se conseguia entrar dessa forma, mas eles não facilitaram as coisas. Fiquei com mais vontade ainda de participar.

Mandei um e-mail para Sam Harris perguntando se ele poderia interceder com Goldstein para me colocar lá dentro. Ele disse que tentaria mas não podia garantir nada. Como esse seria o único retiro que Goldstein promoveria por um bom tempo, eu estava me estressando para ir a um evento cujo objetivo era diminuir meu estresse e que eu provavelmente iria detestar. Irônico.

Pouco depois, tive outra oportunidade de testar minha habilidade de contemplação numa situação difícil. Amy Entelis me ligou para dizer que a emissora ia colocar Bill Weir como âncora do *Nightline*. Ela ainda não sabia se me dariam o lugar dele no *Good Morning America*, nem havia uma data estabelecida para aquela decisão ser tomada. Ou seja, eu ficaria numa espécie de purgatório sabe-se lá por quanto tempo.

O timing da vida é engraçado. No dia seguinte, graças a Sam, embarquei para a Califórnia. No e-mail, ele me disse que havia "mexido nas leis do carma" e conseguido uma vaga para mim no retiro.

Capítulo 7
Retiro

Foi o barato mais longo e sensacional da minha vida – mas a ressaca veio primeiro.

Primeiro dia
Eis o sentimento que contemplo agora: medo.

Estou sentado num café em San Francisco, comendo o que presumo ser minha última refeição decente antes de entrar na Marcha da Morte Zen. Enquanto como, folheio os papéis com informações sobre o retiro que os organizadores haviam me enviado. Em uma linguagem esotérica piegas e detestável, o folheto apresentava as regras do Spirit Rock.

Os participantes deveriam "aceitar qualquer quarto que seja oferecido". Os cozinheiros do centro de meditação iriam "amorosamente preparar" comida ovo-lacto-vegetariana. Todos os participantes receberiam um "trabalho iogue" para fazer, na arrumação do local, na cozinha ou "tocando sinos". Havia uma longa lista de "O que não trazer", que devia ter sido escrita em 1983, pois incluía relógios digitais de pulso com alarme e "Walkmans". O retiro seria conduzido em "nobre silêncio", ou seja, ninguém poderia conversar com outras pessoas ali nem se comunicar com o mundo exterior, a não ser em caso de emergência.

A parte de ficar dez dias sem conversar com ninguém foi o detalhe que mais chamou a atenção das pessoas para quem tive coragem de contar para onde ia. Todas perguntaram: "Como alguém consegue ficar tanto tempo sem falar?" Mas o silêncio era a parte que menos me preocupava. Não imaginava que houvesse muita gente naquele retiro com quem eu fosse morrer de vontade de conversar. O que realmente me assustava era a dor e o tédio de sentar e meditar o dia inteiro durante dez dias seguidos. Para um cara que tinha problemas na coluna e uma inabilidade crônica em ficar parado, essa definitivamente não seria a viagem dos sonhos.

Chamo um táxi para me levar ao local do retiro. Dentro do carro, sinto-me como um cordeiro indo em direção ao sacrifício, mas por vontade própria. Recebi um e-mail de Sam dizendo que ele estava com "inveja" da experiência que eu estava prestes a viver. Então me concentro no fato de que esses retiros às vezes produzem momentos realmente sublimes – pelo menos era isso que eu havia lido. No entanto, grandes momentos de autodescoberta, conhecidos nos círculos espirituais como "experiências de pico", não eram uma garantia.

Chego em Spirit Rock por volta das quatro da tarde. Ao entrar no lugar, vejo uma placa que diz: "Renda-se ao presente."

Jesus, haja paciência.

Mas o lugar é lindo, parece ter saído de uma pintura impressionista. Cercado de colinas de uma cor dourada pálida pela grama seca, onde também cresciam árvores de um verde vívido, o centro em si era uma série de belos prédios baixos de madeira com telhado em estilo japonês, construídos na encosta de um morro.

Ao passar pela recepção, começo a ver alguns dos meus colegas de meditação – sujeitos que usam meias com sandálias de velcro. Fazemos fila para receber as instruções sobre onde ficariam os nossos quartos e que tipo de trabalho faríamos. Recebi a tarefa de "lavador de panelas".

Aleluia! Consegui um quarto só para mim, no segundo andar, pequeno porém limpo. Há uma cama junto à janela. As paredes são brancas. O carpete é bege. Há um espelho e uma pia. O banheiro é comum a todos os quartos e fica no final do corredor.

Às seis da tarde, vem o jantar – e meu primeiro choque: a comida é excelente. Há pasta de ervilha, pão fresco, salada com molho de ervas e sopa de abóbora.

Espero minha vez na fila do bufê, encho meu prato e de repente me encontro numa daquelas situações embaraçosas em que você não sabe perto de quem deve se sentar. Há cerca de cem pessoas, a maioria branca acima de 50 anos. Muitos parecem se conhecer – como ainda não haviam nos dito que era hora de parar de falar, todos estavam batendo papo alegremente.

Acho um lugar junto de um casal idoso simpático, que logo puxa conversa comigo. Expresso meu medo de que os primeiros dias sejam difíceis. A esposa me tranquiliza, dizendo que não era tão ruim assim. "É como um jet lag ao chegar de uma viagem", comparou.

Quando terminamos de comer, Mary, a chef de cozinha, se levanta e faz uma pequena apresentação. Haverá três refeições por dia: café da manhã, almoço e uma janta leve. Há regras a seguir: não levar comida para os quartos; não entrar no refeitório antes de os chefs anunciarem; após comer, fazer fila para jogar os restos de comida fora e deixar os pratos em bandejas que seriam levadas pelos ajudantes da cozinha. Mary não tem a severidade que eu esperava. "Quero que vocês se sintam como se fosse a *sua* sala de jantar", ela nos diz, e parece sincera.

A sessão oficial de abertura é realizada no salão de meditação. Antes de entrar, todos tiram os sapatos numa pequena antessala. O salão é enorme e arejado, com o piso de madeira brilhando e muitas janelas. Há um altar na frente, com uma estátua de Buda. Diante do altar ficam os colchonetes em fileiras bem arrumadas. Muitos chegaram cedo para garantir o seu lugar de preferência e arrumaram ninhos elaborados para sua meditação, usando pequenos bancos de madeira, almofadas redondas e cobertores finos de lã. Eles já estão sentados, de pernas cruzadas e olhos fechados, esperando o início do ritual. Isso imediatamente atiça a minha "mente comparadora". Sou um amador perto deles.

Para aqueles que não conseguem se sustentar nas poses tradicionais, há várias fileiras de cadeiras na parte de trás da sala, depois dos colchonetes. Assim como todo garoto malcomportado na escola, sento-me na última fila. Logo depois, os professores entram no salão, silenciosos e com uma expressão neutra. Goldstein é o último a entrar. Reconheço-o das fotos nas capas de seus livros. Ele anda em passadas largas e lentas. Usa uma camisa social e calça cáqui com cintura alta. Tem um olhar muito, muito sério. O conjunto provoca um efeito que intimida um pouco.

Os professores tomam seus lugares na fila da frente e um deles, uma mulher de traços asiáticos de uns 50 anos chamada Kamala, abre formalmente o retiro e declara que a partir de então "entramos no silêncio".

Em seu ronronar contemplativo, ela explica que o objetivo do retiro é tentarmos estar conscientes de todos os momentos, não apenas quando estamos meditando. Isso significa que todas as nossas atividades – caminhar, comer, sentar, ir ao banheiro – devem ser feitas com vagarosidade extrema, para que possamos prestar uma atenção meticulosa e microscópica.

Nesse ponto, fico sabendo como será nossa rotina. É ainda mais brutal do que eu imaginava: os dias começarão com um despertar às cinco da manhã, seguido por uma hora de meditação, depois desjejum, depois uma série de períodos alternados de meditação sentados ou caminhando, interrompida por refeições, descanso e períodos de trabalho, e uma noite de "palestra darma". Faço um cálculo rápido: cerca de dez horas por dia de meditação. Honestamente, não sei se serei capaz de aguentar.

Segundo dia
Meu alarme toca às cinco horas e, com um susto e uma pontada de tristeza, percebo onde estou.

Pego um dos três pares de calça de moletom que havia colocado na mala, vou até o banheiro e de lá sigo com os outros iogues para o salão de meditação. Todos caminham devagar, olhando para baixo. Aquelas pessoas estavam realmente levando a sério a ideia de serem contemplativas o tempo todo.

Ao caminhar em meio à manada silenciosa na escuridão da madrugada, resolvo dar tudo de mim nesse retiro. *Se é para fazer isso, vou fazer direito.*

Então, quando entro no salão, em vez de ir para a cadeira onde me sentei na véspera, ando por entre os colchonetes, empilho duas almofadas e sento com as pernas abertas, imitando alguns dos meditadores mais experientes.

Enquanto entram, muitas pessoas param e se curvam na direção do Buda no altar. Isso me deixa um pouco desconfortável. Depois vem outra surpresa desagradável: há uma folha de papel na frente de cada estação de meditação. São letras de música. Querem que a gente cante.

Um dos professores toma seu lugar no pódio e explica que esses são os "Refúgios e Preceitos", cânticos que os iogues entoam há séculos para começar o dia. Ele começa o cântico, devagar e em voz baixa, e todos nós nos juntamos, lendo o que está na folha. (Cânticos são a única exceção à regra do "Silêncio Nobre".)

Quando termina o cântico, começamos a meditar. Agora, sim. Estou pronto.

Quase imediatamente, percebo que me sentar em almofadas é uma péssima ideia. Sou assolado por dores nas costas e no pescoço. A circulação dos meus pés parece ter sido perigosamente interrompida. Tento me concentrar na respiração, mas não consigo fazer isso por mais de uma ou duas respiradas.

Dentro.
Fora.
Dentro.
Caramba, acho que meus pés vão gangrenar.
Vamos lá, cara.
Dentro.
Parece que um dinossauro está mastigando as minhas costelas.
Fora.
Que fome! Está realmente silencioso aqui. Será que mais alguém está se sentindo mal?

Após uma hora terrível, escuto um leve tilintar. A professora está dando batidinhas numa espécie de tigela de metal, mas aparentemente chamam aquilo de sino.

Todos se levantam e caminham devagar em direção ao refeitório. Eu os sigo em transe, como se tivesse levado uma surra. Uma fila se forma do lado de fora do prédio. Ah, claro – não podemos entrar até que um dos chefs toque o sino do lado de fora. É patético.

Olho à minha volta. Todos parecem meio sisudos. Pelo visto, a contemplação não deixa as pessoas com uma cara bonita. Cada um está em seu próprio mundo, esforçando-se ao máximo para permanecer atento ao momento. O esforço de concentração produz expressões faciais que variam do neutro ao defecatório. As instruções dizem que não devemos olhar nos olhos de nossos companheiros para não interromper a concentração deles. Esse é o único lugar no mundo onde o máximo de compaixão possível com alguém que espirra é ignorar a pessoa completamente.

O café da manhã é seguido por um descanso e depois uma segunda sessão de meditação.

Embora eu tenha voltado a sentar na cadeira, continuo sentindo fortes dores nas costas. Ainda não consigo manter-me concentrado por mais de duas respiradas. Meditar aqui parece muito mais difícil do que na minha casa. Sinto-me como um atleta iniciante que foi convocado para uma liga profissional e não consegue jogar no nível exigido. Mal posso acreditar que terei que sentar nessa cadeira, com essas pessoas, pelos próximos nove dias da minha vida.

Durante meu primeiro período de meditação caminhando, fiquei bastante perdido. Não tenho a menor ideia do que significa meditar caminhando, então decido simplesmente andar pela propriedade. Há vários animais ali: salamandras, filhotes de veado, perus selvagens. Eles chegam pertinho de você, sem medo nenhum.

A terceira vez que nos sentamos para meditar é um pesadelo ainda pior. Meu corpo encontra uma nova maneira de se revoltar: minha boca não para de se encher de saliva. Tento não me mover, mas a situação é insustentável. Não posso ficar sentado ali com a boca cheia de cuspe. Então fico engolindo sem parar, mas logo a boca se enche novamente. Isso prejudica minhas tentativas de estabelecer um ritmo de respiração. Meu monólogo interior agora se concentra em quando a sessão irá terminar.

Por acaso ouvi a porcaria do sino?
Foi o sino que tocou?
Não, isso não é o sino.
Que merda.
Merda, merda, merda, merda... Merda!

Quando o sino finalmente toca, Goldstein começa a nos dar um sermão sobre o que significa meditar caminhando. "Não é um recreio", diz ele. Ou seja, nada de ficar passeando e admirando a paisagem. O que devemos fazer é o seguinte: escolher um pedaço de chão com menos de dez metros de comprimento e então andar vagarosamente de um lado para outro, desconstruindo cada passada, notando os movimentos de erguer o pé, deslocá-lo para a frente e pisar. E repetir isso *ad infinitum*.

Que ótimo. Quer dizer que não vou ter nenhum momento para me livrar do tédio.

Durante o almoço num refeitório repleto de zumbis, fui tomado por uma onda gigantesca de tristeza. Eu me sentia só e sem saída. Pensar no tempo que faltava para ir embora dali me deixava desesperado.

Além disso, eu me sentia um idiota. Por que estava ali, e não numa praia com Bianca? Tivemos algumas conversas tensas sobre minha vinda ao retiro. Ela queria apoiar minha busca "espiritual", mas ao mesmo tempo ficava ressentida por eu estar gastando dez dias de folga para ir meditar sozinho, especialmente sabendo que eu tinha um tempo muito limitado de férias anuais. E não podia nem telefonar para ela.

Agora, sentado nesse salão cheio de estranhos, fico pensando: *Eu não deveria ter vindo. Sou mesmo um idiota.*

No pico dessa onda de tristeza e arrependimento, consigo reunir forças para praticar a atenção plena, enxergando meus sentimentos com certa imparcialidade. Digo a mim mesmo que é apenas uma tempestade passageira. Isso não resolve nada, mas ao menos ajuda a controlar os demônios.

Na próxima sessão de meditação caminhando, demarco meu pequeno território no pátio e fico andando de um lado para outro, bem devagar, tentando perceber cada componente da minha passada. Levantar, mover, pisar. Se uma pessoa aparecesse aqui sem saber o que estávamos fazendo, ia achar que tinha entrado num hospício.

De volta à almofada de meditação, estou me empenhando numa tarefa de Sísifo, tentando rolar o pedregulho da concentração montanha acima – uma montanha infinita. Eu me esforço ao máximo para permanecer concentrado na minha respiração, agarrando-me a isso como se fosse uma corda pendurada na beira de um abismo. Mas não sou forte o bastante para vencer a dor, a fadiga e a saliva. É humilhante constatar que, após um ano meditando diariamente, não consigo sequer um desempenho mínimo aqui. Cada instante de distração é recebido com um ataque furioso de autoflagelação.

Dentro.
Fora.
Será que vão servir mais daquele pão fresco no jantar?
Dentro.
Será que alguém realmente inventou e patenteou aqueles vidros que protegem as comidas dos bufês, ou teria isso sido inventado simultaneamente em várias culturas, mais ou menos ao mesmo tempo, como matemática e linguagem?
Idiota.
Incompetente.
Irrecuperavelmente, irrefutavelmente, irremediavelmente estúpido.

Quando chega a hora da aula noturna do darma, estou me sentindo derrotado.

Goldstein e sua equipe entram em procissão no recinto, com ele liderando o grupo com passadas gigantes e magistrais. Assim que começa a palestra, percebo que ele é infinitamente menos austero do que parecia na sessão de meditação. É até engraçado. Está falando do poder do desejo sobre nossa mente e como nossa cultura nos condiciona a acreditar que quanto mais experiências prazerosas tivermos – sexo, filmes, comida, compras, etc. –, mais felizes seremos.

Durante o discurso, ele acaba respondendo a uma das minhas principais questões, sobre o aviltamento do desejo no budismo.

Não é que não possamos aproveitar as coisas boas da vida ou nos esforçar em busca do sucesso, ele esclarece. O que não podemos fazer é nos deixar dominar pelo desejo. Precisamos lidar com ele de forma sábia e consciente. "Não sou perfeito nisso", acrescenta Goldstein. Ele conclui uma história sobre seus primeiros anos de meditação dizendo: "Minha prática estava indo bem, com a mente altamente concentrada." Depois diz que haveria um lanche após a meditação, com chá e banana. "Eu poderia chegar à iluminação a qualquer momento, mas tocaram o sininho anunciando a hora do chá." Pausa cômica. "Iluminação ou banana?" Outra pausa. Ele começa a rir. "Muitas vezes, é bom optar pela banana."

Em seguida, começa a falar sobre um texto em que Buda chama todas as nossas experiências na vida – imagens, sons, cheiros, etc. – de " a terrível isca do mundo".

"É uma frase sensacional", comenta Goldstein. "As experiências surgem a cada momento, e é como se cada uma tivesse um anzol... e nós fôssemos os peixes. Devemos morder a isca? Ou seria melhor nadar livremente no oceano?"

Agora estou pensando: *Sim, há uma razão para ficar sentado o dia inteiro com os olhos fechados: ganhar algum controle sobre a mente, para ver através das forças que nos impulsionam – e nos enlouquecem.*

No decorrer do discurso, ele começa a perder minha atenção. No início havia as piadas sobre iluminação, mas agora ele está falando sem qualquer ponta de ironia sobre renascimento, carma, "purificação da mente" e atingir a "libertação".

Puxa, isso estragou uma grande palestra.

No final da última sessão de meditação sentada, outra surpresa desagradável: dessa vez deveríamos fazer um cântico para enviar "bondade amorosa" a uma série de "criaturas", incluindo nossos pais, mestres e "divindades guardiãs". Desejamos que todos vivam o Fim do Sofrimento.

Então me ocorre que talvez a forma mais rápida para eu atingir o Fim do Sofrimento seria voltar para casa.

Terceiro dia
Tortura – essa palavra não sai da minha cabeça enquanto medito sentado, medito caminhando e espero na fila do refeitório para encher minha tigela de grãos e vegetais. Estou odiando esta experiência.

No final da manhã, diante do mural de recados no saguão do centro de meditação, sinto um frisson ao ver que há uma mensagem para mim. É de Goldstein. Num bilhete escrito numa pequena folha branca de papel, ele sugere que nos encontremos em cerca de uma hora. Os iogues têm reuniões individuais com os professores para discutir sua prática. Hoje é o meu dia. Neste lugar, isso é o mais próximo de um momento realmente excitante.

Na hora marcada, entro na sala atapetada, onde Goldstein puxa uma cadeira para mim. Quando ficamos a sós, ele é ainda mais solto do que durante a palestra. Estou me sentindo privilegiado por ter sua atenção, mas ao mesmo tempo um pouco tenso. Tenho um milhão de perguntas a fazer, mas não quero abusar da boa vontade dele ultrapassando o tempo da entrevista.

Começo com meu problema mais urgente:
– Minha boca se enche de saliva toda hora e isso está atrapalhando minha capacidade de concentração.

Ele ri e me assegura que, por alguma razão, isso acontece com vários praticantes de meditação. Já me sinto mais tranquilo. Ele sugere que eu simplesmente me permita engolir. Se eu me fixar nesse problema, vai piorar.

Ele pergunta como está indo minha prática, de forma geral. Não querendo revelar a extensão total do meu desespero, admito ao menos que tive alguns momentos de desânimo, mas acrescento que eu sabia que eles iriam passar. Ele dá um grande sorriso e diz:

– Esse é o jogo!

Após 15 minutos, calculo que já usei todo o meu tempo. O encontro foi breve, mas me deixou muito satisfeito. Esse período de bons sentimentos, no entanto, durou pouco. No meio da tarde, em uma das sessões de meditação sentada, uma professora chamada Spring tomou o pódio e anunciou que hoje "vamos tentar algo diferente".

Spring é a personificação de tudo que mais me irrita no mundo da meditação. Falando daquele jeito baixinho e afetado, explica que vamos fazer a meditação metta, também conhecida como meditação da bondade amorosa ou da amizade. Funciona assim: temos que visualizar uma série de pessoas e então enviar a elas, uma a uma, nossos desejos de coisas boas. Deve-se começar pensando em si mesmo, depois num "mentor", num "amigo querido", numa "pessoa neutra", numa "pessoa difícil" e, no final, em "todas as criaturas". Curiosamente, ela diz para não escolhermos alguém por quem nos sentimos atraídos. Quer dizer que Bianca não poderá receber as minhas boas vibrações?

Eu me convenço de que esse exercício nunca terá qualquer significado para mim, mesmo que Spring insista que isso tem o potencial de "mudar a nossa vida".

A única coisa boa na meditação metta é que, como precisamos estar fisicamente confortáveis para gerar boas vibrações, podemos deitar no chão. Deu a maior vontade de usar esse tempo para descansar, mas eu havia prometido a mim mesmo que iria me esforçar ao máximo durante esse retiro. Então deitei e me preparei para emitir amor.

Para começar, devemos gerar uma imagem mental vívida de nós mesmos e então repetir quatro frases:

Que você possa ser feliz.
Que você possa estar seguro e protegido de qualquer mal.
Que você seja forte e saudável.
Que você viva com tranquilidade.

Compreendo que, assim como a meditação "normal" serve para exercitar o músculo da contemplação, a metta ajuda a aumentar nossa capacidade de ter compaixão, mas tudo o que esse exercício está provocando em mim é um sentimento de tédio. Ele faz com que eu questione a generosidade do meu espírito. Se eu fosse uma boa pessoa, não estaria inundado de amor nesse momento? Se fosse um bom marido, não estaria na praia com Bianca? Muito obrigado por isso, Spring.

Quarto dia
Hoje é meu 39º aniversário. Tenho certeza de que será o pior da minha vida.

A meditação matinal é uma batalha épica contra o sono. Posso sentir a fadiga transbordando da minha testa. Sou tomado pelo desejo de me abrigar nesse torpor.

A meditação seguinte, sentada, é um festival de dor, saliva, tosse e inquietação. Meu coração bate forte. Sinto vergonha e raiva enquanto engulo, fungo e me remexo na cadeira. Sinto as bochechas quentes. Devo estar irritando meus vizinhos. Tento contemplar isso, mas estou começando a esquecer o que a contemplação significa.

Fora da sala de meditação, me sinto cada vez pior. Penso obsessivamente em como vou sobreviver mais seis dias aqui. Entendo que parte do objetivo de um retiro é nos despir de todas as coisas que usamos – sexo, trabalho, e-mail, comida, televisão – para evitar um confronto direto com o que chamam de "a ferida da existência". A única maneira de enfrentar essa situação é cessar a luta contra o momento presente, abandonando o hábito de pensar naquilo que vem a seguir. Mas acho que não estou conseguindo fazer nada disso.

Fico pensando se os outros percebem que estou tendo dificuldades. Todos aqui parecem serenos. Achei que nesse ponto já estaria mais fácil para mim. Isso é muito pior que um jet lag. Estou começando a me preocupar com a possibilidade de voltar para casa e ter que admitir para todos – Bianca, Mark, Sam – que fracassei.

Faço a última sessão de meditação caminhando à noite. Estou lutando para continuar concentrado em *levantar, mover, pisar*, com minha mente vagando por vários outros pensamentos como ver TV, comer biscoitos e dormir. Ao fim de uma sequência andando de um lado para outro, olho para cima e vejo uma estátua de Buda. Silenciosamente, eu lhe envio a seguinte mensagem: *Vá se ferrar.*

Quinto dia
Acordo desesperado.

Estou me afogando em dúvidas, considerando seriamente desistir disso tudo e ir para casa. Não sei mesmo se vou suportar mais um dia aqui. Preciso falar com alguém. Preciso de ajuda. Mas não tenho entrevista com Goldstein hoje. A única outra pessoa com quem posso falar é a chata da Spring.

Como ainda é uma professora aprendiz, Spring não foi encarregada de supervisionar nenhum iogue no retiro. Mas colocou uma nota no mural de recados dizendo que estava disponível se alguém quisesse ter uma audiência com ela. Bastava colocar o nome ali. Após muita hesitação, acabei me inscrevendo.

Quando chega a minha hora de vê-la, entro no pequeno escritório onde ela está recebendo as pessoas. Está sentada, sorrindo, com seu xale estranho cobrindo os ombros. Tenho a impressão de que ela se sente superior a todos nós. Somos duas espécies diferentes. Nem sei se somos capazes de nos comunicar um com o outro.

Mas paciência. Eu não tenho escolha.

– Estou dando tudo de mim – confesso –, mas não consigo chegar a lugar nenhum. Não sei se sou capaz de fazer o que é preciso. Estou com muita dificuldade mesmo.

Ao me responder, ela não usa mais aquela voz esquisita. Está falando como uma pessoa normal:

– Você está forçando demais – ela avalia. O diagnóstico é dado de forma firme e franca. – Esse é um problema comum a quem faz retiro pela primeira vez. Faça apenas o melhor que puder, sem esperar nada, e simplesmente aceite qualquer coisa que vier à sua cabeça durante a meditação. Na vida diária, sempre fazemos algo e esperamos um resultado. Aqui, basta ficar com o que está na sua mente.

Ela diz ainda que já recebeu vários participantes desesperados, alguns às lágrimas. Isso me faz pensar algo nada budista: *A-ha! Então esses zumbis não são tão felizes quanto parecem!*

Olho para Spring, sentada diante de mim, e percebo que essa boa moça foi mais uma vítima de meus julgamentos precipitados. Na verdade, Spring é muito legal; eu é que sou um imbecil. Ela está certa: não é tão complicado. Estou mesmo fazendo muita força em vez de deixar a coisa fluir naturalmente. Sinto-me tão agradecido que me dá vontade de chorar.

Na meditação sentada seguinte, decido pegar uma cadeira do meu quarto e colocá-la na varanda. Digo a mim mesmo que vou tentar diminuir a intensidade, parar de me esforçar tanto. Apenas vou me sentar ali e "estar com" o que quer que seja.

Posso ouvir os outros a distância, caminhando pelo prédio. Depois tudo fica em silêncio. Fico sentado ali, sentindo despreocupadamente minha respiração. Sem nenhum grande objetivo. Apenas sentado e respirando.

Em poucos minutos, começa a dar certo. Não há fogos de artifício. É mais como se, após dias tentando sintonizar uma determinada frequência de rádio, eu finalmente conseguisse encontrá-la. Então apenas deixo meu foco cair sobre qualquer coisa que apareça em minha consciência.

Dor no pescoço.
Dor no joelho.
Um avião passando no céu.
Passarinho cantando.
Barulhinho das folhas ao vento.
Brisa roçando o meu antebraço.
Estou gostando muito de colocar castanhas de caju e passas no meu mingau de aveia de manhã.
Pescoço. Joelho. Pescoço, pescoço. Joelho, joelho, joelho.
Fome. Pescoço. Joelho. Mãos dormentes. Passarinho. Joelho. Passarinho, passarinho, passarinho.

Acho que entendi o que está acontecendo. É algo chamado "consciência sem escolha". Já tinha ouvido os professores falarem sobre isso. É um tremendo momento de observação por detrás da água da cachoeira. Chega-se a um ponto de concentração em que é possível, eles dizem, deixar de focar apenas na respiração e apenas abrir-se a qualquer coisa que estiver ali. E é o que está acontecendo comigo agora. Eu focalizo cada "objeto" que surgir na minha mente com total tranquilidade e clareza até que ele seja substituído por outro. Não estou me esforçando; está apenas acontecendo. É tão fácil que parece que estou trapaceando.

Dor nas costas.
Luzes engraçadas que você vê quando fecha bem os olhos.
Coceira assassina na batata da perna.
Joelho, joelho, joelho, joelho.
Coceira, joelho, costas, coceira, coceira, coceira, joelho, avião, galhos e folhas de árvores, brisa na pele, joelho, joelho, coceira, joelho, luzes, costas.

Então escuto um barulhão ficando cada vez mais próximo.
Agora é ainda mais alto, parecendo uma frota de helicópteros num cenário de guerra.
Agora está bem na minha frente.
Abro os olhos. É um beija-flor, suspenso no ar a um metro de distância de mim.
Uau!
Minha próxima sessão me deixa ainda mais feliz. Estou de volta ao salão agora, e estou meditando de verdade. Consigo aceitar qualquer coisa que venha à minha cabeça. Às vezes ainda me pego ansioso para terminar a sessão. Mas, quando esses pensamentos surgem, apenas os noto e sigo em frente.
É como se uma cortina tivesse se aberto. Não é que as minhas imagens mentais sejam maravilhosas; é o ato de estar presente e acordado dessa forma que produz uma dose gigantesca de serotonina.

Mãos ficando duras.
Pássaro.
Pés dormentes.
Bebês assustadores da arte renascentista.
Coração batendo.
Costas. Pássaro. Mãos. Pés. Coração. Costas, costas, pássaro, pés, pássaro, pássaro, pássaro. Pés, mãos, pés, pés, pés.

Mãos. Mãos. Costas, costas, costas. Coração, pássaro, pés. Pés. Pássaro.
Pépássaropépássarocostaspéspéspéscoração.
Pássaro.
Pássaro.
Pássaro.
Senhora idosa na primeira fila dá um arroto épico.

É como se eu tivesse passado os últimos cinco dias sendo puxado pela cabeça por um barco a motor e agora, de repente, estivesse de pé esquiando. Esta é uma experiência que nunca tive antes – assistir da primeira fila à maquinaria da consciência funcionando. É emocionante, mas também produz ideias muito práticas. Agora entendo como alguns pensamentozinhos escorregadios que tenho – por exemplo, após uma discussão com Bianca ou quando imagino uma conversa com meu chefe – conseguem se enfiar em cantos escondidos do meu cérebro e me assombrar o dia inteiro. Pensamentos se calcificam e viram opiniões; pequenas sementes de descontentamento germinam como mau humor; uma dor imperceptível nas costas me deixa irritado com tudo.

Estou me lembrando de uma vez em que uma amiga me perguntou como alguém pode estar sempre no momento presente se esse sempre nos escapa. Agora é óbvio para mim: a natureza fugidia do momento presente é o ponto fundamental. Uma vez que consigamos atingir a consciência sem escolhas, podemos ver como tudo é passageiro. A impermanência não é mais uma simples teoria. E mostrar isso é o objetivo deste retiro.

Ao ser arrastado contra a vontade para o presente, finalmente estou acordado o bastante para ver coisas que nunca conseguia enxergar no meu dia a dia. Ao que parece, a única forma de chegar a esse ponto é por meio do trabalho tedioso de observar sua respiração por vários dias. De certa forma, faz sentido. Como se aprende um esporte? Fazendo exercícios para melhorar a agilidade e a técnica. Uma língua? Conjugando verbos repetidamente. Um instrumento musical? Treinando escalas. Todo o horror de me sentar aqui nesse salão com os zumbis de repente parece ter valido muito a pena.

A meditação caminhando também está começando a fluir. Agora estou no pátio em frente à entrada principal, desconstruindo cada passo. Levanta, move, pisa. Meus pés gostam da sensação das pedras mornas. No meio de uma das minhas idas e vindas para lugar nenhum, paro e olho para três filhotes de passarinho empoleirados na marquise sobre o pátio, piando alto enquanto a mãe voa de um lado para outro, pegando comida e colocando na boca deles. Não consigo parar de olhar a cena. Outras pessoas se juntam a mim, observando esse pequeno show. Sinto-me incrivelmente feliz – mas fico dizendo a mim mesmo para não me apegar demais a isso.

Quando volto para dentro do salão para mais uma sessão de meditação sentada, vejo Spring no altar. *Certo, está na hora de fazer a metta.* Eu me deito e todos começam a dirigir as quatro frases a si mesmos.

Que você possa ser feliz. Que você possa estar seguro e protegido de qualquer mal. Etc.

Então Spring nos pede para escolhermos nosso benfeitor. Penso na minha mãe. Tenho uma fotografia mental dela de algumas semanas atrás, quando estávamos tomando conta da minha sobrinha de 2 anos, Campbell. Consigo realmente senti-la. Ao pensar na imagem dela, com seu cabelo grisalho bem cortado, seu jeito elegante e casual de se vestir, algo inteiramente inesperado toma conta de mim: um soluço silencioso cresce em meu peito – incontrolável como um espirro.

Lágrimas rolam pelo meu rosto, descendo em torrentes mornas que se tornam mais fortes a cada onda sucessiva de emoção. E viram uma poça atrás das minhas orelhas.

– Agora escolha um amigo querido – diz Spring. Ela está usando aquela voz esquisita de novo, mas isso não me incomoda mais.

Escolho Campbell. Não podia ser mais conveniente. Ela já está nesta cena que visualizo em detalhes tão vívidos. Vejo-a encostada no travesseiro. Estou com um dos pezinhos dela na minha mão e olhando para seu lindo rostinho e seus olhos sapecas, absorvendo toda a atenção que minha mãe e eu estamos lhe dando.

Estou chorando ainda mais agora. Não são soluços altos, mas com certeza as pessoas perto de mim percebem, pois estou fungando e com a respiração entrecortada.

A choradeira continua até o sino tocar. Ao deixar o salão, agradeço em silêncio a regra de evitar olhar nos olhos dos outros companheiros de meditação. Saio para a luz do dia, desço um pouco a ladeira e fico de pé na grama sob o sol morno da tarde. Em meio às ondas de felicidade, sinto uma leve contracorrente de dúvida. *Isso é besteira ou realmente funciona?* Seria apenas o resultado de ultrapassar aqueles cinco dias de agonia? Como aquela piada em que o cara está batendo a cabeça contra a parede e, quando lhe perguntam por que faz isso e ele responde: "Porque quando eu paro eu me sinto tão bem."

Mas não, as ondas de felicidade continuam vindo. Tudo está tão brilhante, tão claro. Eu me sinto ótimo. Não só ótimo – é um bem-estar sem precedentes. Estou consciente do desejo de me agarrar a esse sentimento, de saboreá-lo até a última gota. É diferente da euforia produzida pelas drogas, sempre prestes a acabar. O que sinto é mil vezes melhor. É o barato mais incrível que já senti na vida.

Saio para dar uma corrida. Tenho feito isso quase todas as tardes. Descobri uma trilha incrível. Ainda estou me sentindo nas nuvens. Enquanto meus pés batem no chão, estou chorando, depois rindo por chorar, depois chorando mais um pouco. Imagino se isso será o início de uma nova maneira de viver, em que serei capaz de ter a compaixão – e não a aversão – como meu sentimento padrão.

Não chamaria esse meu estado de algo espiritual ou místico. Para mim, esses termos têm a ver com coisas irreais ou de outro mundo. Pelo contrário, o que está acontecendo é hiper-real.

Após o jantar, Goldstein dá sua palestra e faz uma afirmação intrigante. O mais conhecido pronunciamento de Buda – "A vida é sofrimento" – é fonte de um grande mal-entendido. Faz o budismo parecer sombrio. Isso aconteceu, na verdade, por causa de um erro de tradução. A palavra *dukkha* em pali não significa "sofrimento". Não existe uma palavra correspondente em nossa língua, mas é próxima de "insatisfatória" ou "estressante". Quando Buda proferiu sua frase consagrada, ele não estava dizendo que a vida era como estar acorrentado a uma pedra enquanto corvos bicam suas vísceras. O que ele realmente quis dizer era algo como: "Tudo no mundo é insatisfatório e incerto porque não vai durar."

Goldstein explica que vivemos como se não conhecêssemos fatos básicos. "Com que frequência esperamos ansiosos pela próxima oportunidade de ter prazer fazendo o que quer que seja? A próxima refeição ou o próximo relacionamento amoroso ou o próximo cappuccino ou as próximas férias e assim por diante. Vivemos à espera da próxima experiência prazerosa que vier. A maioria das pessoas foi abençoada com um número enorme de experiências prazerosas na vida. Mesmo assim, quando olhamos para trás, pensamos: onde é que elas foram parar?"

É tão estranho para mim estar sentado ouvindo um sermão, incluindo citações de um texto sagrado, e me sentir genuinamente comovido. Após todos aqueles anos sendo o único descrente em salões lotados de devotos, aqui estou eu absorvendo tudo, concordando com a cabeça.

Afinal, ele tem toda a razão. Nos desenhos animados, quando

os personagens acabam de beber ou comer algo delicioso, eles estalam os lábios e parecem saciados. Mas na vida real não funciona assim. Mesmo que recebêssemos tudo o que queremos, será que isso iria nos tornar permanentemente felizes? Quantas vezes já ouvimos pessoas ricas e famosas afirmarem que isso não é o bastante? Astros de rock se viciam em drogas. Ganhadores da loteria se matam. Há até um termo para isso: "adaptação hedônica". Quando coisas boas acontecem, rapidamente nos adaptamos a elas e as tornamos parte de nossas expectativas básicas, sem preencher o vazio primordial.

Goldstein deixa claro que isso não significa que não devemos curtir as coisas boas da vida. Mas se tivermos uma compreensão mais profunda do "sofrimento", da incerteza quanto à duração das nossas experiências, conseguiremos apreciar a pungência inerente a tudo o que existe. "É como se estivéssemos enfeitiçados, acreditando que isso ou aquilo será a fonte de nossa liberdade ou felicidade. Mas acordar desse feitiço, estar mais alinhado ao que é verdadeiro, nos traz uma felicidade muito maior."

No retiro, sem nada animado prestes a acontecer, nenhum lugar para ir, nada para fazer, somos forçados a confrontar a "ferida da existência" de frente: olhar para o abismo e perceber que muito daquilo que fazemos na vida – cada mexida na cadeira, cada garfada de comida, cada sonho acordado – tem o objetivo de evitar a dor ou de buscar o prazer. Mas, se abrirmos mão de tudo isso, podemos aprender a ser felizes antes que qualquer coisa aconteça. Essa felicidade é gerada por nós mesmos, sem depender de forças externas; é o oposto de "sofrimento". O que Buda descobriu foi algo transformador.

Após a última meditação da noite, ao sair do salão, eu me viro para a estátua de Buda e – não posso acreditar no que estou fazendo – me curvo num cumprimento respeitoso em direção a ele.

Sexto dia
Acordo ainda achando que o mundo é mágico.

Estou me tornando assustadoramente alerta. Meus sentidos estão aguçados, como nos filmes em que um mortal começa a se transformar em vampiro. Após o café da manhã, ao subir a ladeira que leva ao salão de meditação, escuto ratos correndo por entre a grama e os arbustos ao longo do caminho. Estou numa sintonia anormal com as comunicações da sociedade secreta dos passarinhos nas árvores.

Continuo meditando com facilidade. Começo colocando foco na respiração; quando sinto que minha mente está completamente inflada de concentração, eu a deixo voar para a consciência sem escolhas.

Vontade de me coçar.
Imagem de vários babuínos sentados em pilhas de feno.
Pensando na maçã que ilicitamente guardei no meu quarto.

Mesmo as coisas "ruins" não me irritam. Consigo sentir a mim mesmo brincando com a dor nos meus ombros. Eu a investigo, sem deixar que ela me aborreça.

Na hora do almoço, percebo que me tornei uma daquelas pessoas que mastigam com os olhos fechados. Comendo de forma consciente, descanso o talher no prato entre uma garfada e outra, em vez de usar o garfo para mexer na comida e preparar a próxima garfada enquanto mastigo. O resultado é que paro de comer quando me sinto satisfeito em vez de me empanturrar até ficar enjoado, como normalmente fazia.

Vejo um cara do outro lado do refeitório que parece estar se deleitando com sua refeição. Sinto uma onda repentina do que os budistas chamam de *mudita*, a alegria pela felicidade do outro. É tão forte que quase começo a chorar. Isso acontece mais uma vez quando olho para outro canto e vejo três mulheres ajudando umas às outras a se servirem de chá. Essa cena de cooperação silenciosa, desajeitada, enche meus olhos de lágrimas.

Mas, tão rápido como chegou, esse enlevo se evapora.

A meditação da tarde me dá uma dose de humildade. O sono me chama com a sedução indesejada de uma ex-namorada grudenta. Às vezes, quase cochilo por um nanossegundo, então acordo com o que parece ser uma martelada na cabeça. Ao fim de 45 minutos, estou com uma dor de cabeça insuportável. Agora é oficial: a mágica acabou.

A sessão metta da tarde não me comove.

Durante a última meditação sentada do dia, sou acometido por um ataque de energia e agitação tão forte que meus membros parecem estar se contraindo involuntariamente. A sensação é tão ruim que faço algo impensável até agora: eu desisto. Abro os olhos e fico sentado no salão, olhando em volta, com sentimento de culpa.

Sétimo dia
Agora estou de volta à contagem regressiva até a hora de ir embora. Vem à minha cabeça o pensamento de que talvez eu já tenha extraído tudo o que podia desta experiência.

Ainda me curvo para Buda, mas é mais para garantir o alongamento da parte posterior da coxa.

Oitavo dia
Estou na agenda de Goldstein nesta manhã. Chego cheio de energia; ele será a primeira pessoa para quem vou contar as minhas recentes descobertas na meditação. Logo que me sento, já vou dando a ele o relatório completo do que aconteceu comigo: a consciência sem escolhas, o beija-flor, o choro provocado pela metta.

Não sei o que espero. Aplauso? Mas ele não parece nem um pouco impressionado com o meu feito. Ele sorri e apenas me diz que já ouviu essa história um milhão de vezes. Esse é o aprendizado básico de quem vem a um retiro pela primeira vez.

Pensei que havia garantido um lugar na primeira fila do teatro de minha mente, mas ele deixa claro que, na verdade, eu tinha apenas um lugar no balcão. "À medida que continuar sua prática", garante, "as coisas que irá percebendo, suas APMs – anotações por minuto – vão subir cada vez mais".

Então conto para ele sobre aquele terrível ataque de agitação de duas noites atrás. Novamente, a resposta dele é: nada especial. Acontece sempre.

Mas ele me tranquiliza ao dizer que não é incomum sair da euforia para o desespero dentro do espaço de uma hora de prática. Quando eu estiver mais avançado, segundo ele, os altos e baixos não serão picos tão pronunciados. Levanto-me ao fim da audiência, reconfortado por saber que estou trilhando o mesmo caminho pelo qual muitos já passaram. As pessoas fazem isso há 2.500 anos.

Quando chego à porta de saída, ele diz que estou me movendo rápido demais. "Você não está consciente o bastante." Como um técnico esportivo, ele me estimula a melhorar meu desempenho, a prestar mais atenção nas coisas que estou fazendo, como andar e abrir portas. "Agora sim!"

Começo a questionar: será que minha reverência crescente por Goldstein é uma espécie de síndrome de Estocolmo? Ou ele é mesmo especial? Paro do lado de fora do prédio, sinto o sol batendo na minha pele por um momento e o beija-flor reaparece.

No período de perguntas e respostas da manhã, uma mulher indaga algo que vinha me incomodando esse tempo todo: "Se a iluminação é possível, onde estão todas as pessoas iluminadas?"

Muitos reagem com gargalhadas, incluindo Goldstein, que promete explicar isso na palestra daquela noite.

Estou ansioso para ouvir a explicação dele. Durante o retiro, ele mencionou repetidamente as palavras "libertação", "despertar" e "descoberta". Mas essa alardeada transformação era algo inatingível? Se for possível, como acontece? Nas escrituras budistas, as pessoas se iluminam toda hora.

Às sete da noite, chega a hora do grande show. Goldstein começa reconhecendo que para as pessoas comuns – não monges – a ideia de não ter mais desejos pode parecer inatingível. "Podemos imaginar uma mente livre de desejos? Acho que a maioria de nós se identifica mais com a famosa oração de Santo Agostinho: 'Senhor, faz-me casto – mas não agora.'"

As pessoas riem, mas logo Goldstein inicia uma descrição seriíssima dos vários passos necessários para atingir a "inabalável liberação da mente, a cessação total do desejo". O processo de iluminação começa quando o meditador se torna superconcentrado, quando as APMs atingem uma velocidade suprema. Mais ou menos como minha experiência *costaspássarojoelho* turbinada. Você vê as coisas se transformando tão rápido que nada parece estável. O filme da vida que aparentava ser tão sólido se quebra em 24 quadros por segundo. O universo se revela como uma vasta sopa de causas e condições.

O caminho a partir dali, segundo Goldstein, envolve momentos de terror, períodos de felicidade sublime, dificuldades, armadilhas e desvios. No fim, o praticante chega ao verdadeiro objetivo da meditação budista: perceber que o "eu" que acreditamos ser a estrutura de nossas vidas não passa de uma ilusão. O grande superpoder da meditação não é administrar o ego com mais consciência, e sim ver que ele não tem substância alguma. Então, por exemplo, no meu momento *costaspássarojoelho*, se eu estivesse mais iluminado, teria sido capaz de enxergar que não só a realidade não é tão monolítica quanto parece, mas que o próprio "eu" também não é sólido.

No estado de iluminação, diz ele, "conseguimos ver através do ponto de referência do 'eu', antes tão fortemente entrincheirado. Isso é o Nirvana". A ilusão do ego é, segundo os budistas, a fonte de todas as nossas emoções negativas – ambição, ódio e confusão quanto à "natureza da realidade". Uma vez que o ego seja visto como irreal, essas emoções são desenraizadas da mente e o praticante de meditação se torna "aperfeiçoado".

Quando Goldstein conclui sua fala, percebo que ele ainda não respondeu algumas de minhas dúvidas mais básicas. Se é tão raro e difícil atingir a iluminação, para que tentar? O próprio Goldstein seria iluminado? Senão, com que base ele pode acreditar nesse conceito? Como são os seres iluminados? O Nirvana (também chamado de Nibbana) é um estado mágico? Um lugar? Uma vez que eu me liberte do ego, posso voltar à minha vida normal?

Os budistas claramente descobriram um sistema prático e funcional de tirar o poder da voz dentro da nossa cabeça, mas adicionar a isso a promessa de uma transformação mágica me parece exagerado demais. Concordo com a tese de que nada incerto e transitório pode nos tornar permanentemente felizes, mas como a busca pela iluminação (que quase ninguém consegue atingir) pode ter esse efeito?

Ao fim da palestra, num ato de rebelião, vou para o refeitório e me encho de bolinhos de arroz, comendo sem consciência nenhuma.

Nono dia
Na sessão de perguntas e respostas da manhã, Goldstein se redime com um pouco de humor. Ao pedir para não perdermos a concentração nas horas finais do retiro, ele diz: "Essa parte final é como a sobremesa. Mesmo que não seja a sobremesa que vocês esperavam."

Enquanto continua sua argumentação, Goldstein diz algo que me incomoda. Ele insiste que não devemos passar muito tempo pensando sobre o que faremos depois que o retiro acabar. É perda de tempo, diz; são apenas pensamentos. Levanto a mão pela primeira vez. Entro em meu modo repórter e, com a voz empostada, pergunto:

– Como você pode pedir uma coisa dessas? Como não me preocupar com o que fazer quando reentrar no mundo? Se eu perder o avião, isso será um problema verdadeiro. Não é apenas um pensamento irrelevante.

– Tudo bem. Mas, quando você se vê pensando na sua ida ao aeroporto pela 17ª vez, talvez fosse bom perguntar a si mesmo: *Isso é útil?*

A resposta dele é tão inteligente que involuntariamente me jogo para trás na cadeira e sorrio.

"Isso é útil?" Eis uma simples e elegante correção para o meu lema do "preço da segurança". Não tem problema se preocupar e planejar, ele diz – mas só enquanto for útil. Passei grande parte da vida tentando evitar meus pensamentos obsessivos para ter a mente em paz. E agora, com uma frase curta, Goldstein me deu uma ferramenta imensamente construtiva para domar esse impulso sem eliminar minha capacidade de pensar e analisar as coisas.

Atingir a consciência sem escolhas e o choro provocado pela metta podem ter sido os momentos mais profundos do retiro, mas essa com certeza foi a lição mais valiosa.

Décimo dia
Acordo sentindo o cheiro da liberdade.

Hoje ficamos aqui apenas a metade do dia. Fazemos meditação pela manhã e depois quebramos o silêncio. Os zumbis são reanimados, deixando de andar igual a mortos-vivos para se transformar em seres humanos normais. Dá até para ver a cor voltando a suas faces.

É fascinante poder conversar com as pessoas sobre quem eu havia inventado histórias durante o silêncio. Descubro que elas são totalmente normais. Almoço com uma alemã bonita que admite ter telefonado para seus filhos algumas vezes. Na mesa conosco está um homem de meia-idade que diz ter vindo por impulso e acabou gostando muito.

Um jovem asiático se aproxima de mim. Ao observá-lo nesses dias, imaginei que ele fosse muito sério, mas ele era uma simpatia. Diz que se sentiu "privilegiado" por estar perto de mim naquela sessão metta em que eu chorei. Isso me provoca uma mistura de emoções contraditórias, como gratidão e vergonha. Falo algo meio atrapalhado e depois peço licença para me afastar.

Os professores nos avisaram que o mundo real iria parecer barulhento demais após dez dias de silêncio, mas, assim que saio de Spirit Rock, ligo meu celular e devoro minhas mensagens e meus e-mails com mais curiosidade do que medo. No avião, assisto a vários programas de TV no meu iPhone. Os hábitos de uma vida toda se restabelecem numa velocidade surpreendente. Aquela foi uma das experiências mais significativas da minha vida, mas, mesmo assim, eu já estava louco para que acabasse.

Capítulo 8
10% mais feliz

Eu soube que minha carreira na televisão havia tomado um rumo radicalmente diferente quando li a seguinte frase no teleprompter: "Agora vamos para a história de Irwin, o canguru paralítico..." Corta para a imagem ao vivo de uma mulher segurando um marsupial deficiente físico vestido com camisa, colete e gravata. Nesse momento falei de improviso, com uma jovialidade forçada: "Adorei o terno do Irwin! Ele está muito elegante!" Eu sorria diante da câmera mas, por dentro, meu ego sussurrava: *Você é um idiota*.

Era uma lição perfeita sobre o conceito budista de "sofrimento", que nesse caso poderia ser grosseiramente traduzido como "cuidado para não se arrepender de conseguir o que deseja".

Numa tarde de sexta-feira, pouco tempo depois que voltei do retiro, o diretor de telejornalismo da emissora, David Westin, entrou todo alegre no meu escritório, estendeu a mão para mim e me ofereceu o emprego de coâncora do *Good Morning America* nos fins de semana.

Fiquei exultante e aliviado. Foi como se tivesse esquecido as palestras de Goldstein sobre a impossibilidade de satisfação duradoura. Achei que todos os meses de preocupação sobre minha posição na emissora e meu futuro haviam chegado ao fim. Todos os meus problemas estavam resolvidos. Finalmente eu estava livre!

O que veio a seguir foi uma série de desdobramentos que poderiam ter sido da autoria do próprio Buda. Uma noite, pouco depois de Westin me oferecer aquela oportunidade, li no *The New York Times* que ele estava deixando seu cargo. Quando voltei ao trabalho na manhã seguinte, outros executivos me asseguraram que Westin continuaria ali por alguns meses e que meu novo posto estava garantido. Mas não foi bem assim que aconteceu.

Após semanas com as coisas meio em suspenso por causa dessa reviravolta, o produtor executivo do *GMA* me chamou para uma reunião. Jim Murphy trabalhava lá havia anos e eu gostava muito dele.

Sentado diante de Murphy em seu escritório, esperei que ele tentasse me convencer a desistir de algumas exigências que eu havia feito. Em vez disso, ele adotou uma direção mais agressiva.

– Posso lhe dizer uma coisa como amigo? – perguntou, com seu estilo cativante de quem está prestes a fazer uma confidência. – Porque eu sei que você, ao contrário de outras pessoas aqui, não fica sensível com esse tipo de coisa.

– Claro – respondi, me remexendo na cadeira tentando manter uma aparência blasé.

– Você nunca será âncora de um telejornal em dia de semana, em horário nobre – disse ele com uma certeza tão despreocupada que fez meu estômago doer. – Você não é bonito e sua voz é meio irritante.

Murphy me deixou numa situação difícil. Ao ter lhe prometido ouvir qualquer coisa sem ficar "sensível", eu não podia demonstrar minha revolta enquanto ele destruía meus sonhos. Então fingi não estar trucidado quando ele concluiu a reunião e eu saí de seu escritório me arrastando.

Embora minha comunicação com a chefia não fosse lá muito boa, consegui ter uma epifania sobre como falar sobre meditação com eles sem dar a impressão de que eu era um doido.

O fato de ter ficado desaparecido e incomunicável por dez dias naturalmente suscitou várias perguntas, o que acabou me revelando como praticante de meditação e me forçando a discutir o assunto com um monte de gente.

No início, essas conversas não deram muito certo. Meu pai simplesmente disse: "Quer dizer que você é budista agora?" Eu apenas resmunguei de volta com uma não resposta. Meus amigos e colegas de trabalho tiveram reações semelhantes: "Você fez *o que* nas suas férias de verão?" Eu sabia que todos estavam pensando o que eu pensaria no lugar deles: que eu tinha me tornado uma *daquelas pessoas* que são normais mas que, ao chegar à meia-idade, adotam algum tipo de espiritualidade estranha.

Sempre que me perguntavam sobre meditação, ou eu me fechava e olhava envergonhado, ou já ia dando uma palestra tediosa e enfática sobre os benefícios da plena atenção, sobre como isso era um superpoder, como não era tão esquisito quanto as pessoas pensavam nem envolvia coisas místicas. Podia ver o terror nos olhos dos meus interlocutores, que sempre procuravam um jeito de escapar do assunto.

Havia algumas coisas que eu estava tentando atingir durante essas interações. Acima de tudo, estava defendendo minha reputação, querendo mostrar às pessoas que eu não tinha ficado maluco. Mas havia algo mais. Quanto mais eu meditava, mais olhava em volta e percebia que todos temos mente de macaco – cada um com suas próprias paranoias. Depois das experiências no retiro, eu me senti impelido a compartilhar meu aprendizado. Só não sabia ainda como fazer isso de forma eficaz.

Após várias semanas sem nenhum sucesso, tive uma conversa fatídica com minha amiga Kris, que era minha mentora desde que cheguei à ABC. Tínhamos um relacionamento em que podíamos falar sobre qualquer coisa. Um dia, estávamos conversando e o assunto das minhas "férias" veio à tona. Ela me lançou um olhar curioso e perguntou:

– O que deu em você com esse negócio de meditação?

Para evitar outra resposta longa e malsucedida, eu apenas disse:

– Faço meditação porque isso me deixa 10% mais feliz.

A expressão no rosto dela mudou instantaneamente. Onde antes havia um indício de escárnio, agora eu via um genuíno interesse.

– É mesmo? – disse ela. – Bacana, gostei dessa descrição.

Pronto! Tinha achado meu slogan: 10% mais feliz. Ele tinha o duplo benefício de ser uma boa frase de efeito e a pura verdade. Era a resposta perfeita, na verdade – oferecendo um contraponto às promessas irreais dos gurus de autoajuda e ao mesmo tempo um retorno atrativo para o investimento. Isso me lembrou vagamente a comédia *Crazy People – Muito Loucos* (1990), um filme em que um publicitário resolve ser honesto em suas campanhas, criando pérolas como "Jaguar – Para homens que querem sexo com mulheres lindas que mal conhecem". A agência dele o mandou para um hospício.

Meu novo slogan também combinava perfeitamente com a nova tendência do telejornalismo: os repórteres não deviam vender suas matérias como a coisa mais maravilhosa do mundo, porque depois o produto podia acabar decepcionando a chefia. Se isso acontecesse, eles nunca mais voltariam a aparecer no ar. Sempre é melhor criar menos expectativa e surpreender.

Pena que eu ainda não tinha a frase dos 10% pronta quando meu pai me indagou sobre o budismo. Eu não podia culpá-lo por seu ceticismo, mas agora meu novo slogan era uma kriptonita eficaz contra esse tipo de desconfiança. Quando comecei a testar essa frase com outras pessoas, não cheguei a converter ninguém de imediato, mas pelo menos consegui evitar que elas saíssem correndo de mim.

Cerca de um mês depois do retiro, tive a oportunidade de testar meu slogan com o Sr. Iluminação em pessoa. Consegui marcar uma entrevista com Joseph Goldstein para uma nova série on-line que criei, chamada *Beliefs*. Comecei perguntando como ele havia descoberto o budismo. Quando jovem, ele era cheio de si, sempre questionando tudo. Queria estudar Direito ou Arquitetura, mas acabou se formando em Filosofia. Depois se tornou voluntário do Corpo da Paz americano. Sua primeira opção tinha sido ir para a África Oriental, mas, "do jeito que o carma é", foi enviado para a Tailândia, onde foi exposto pela primeira vez ao budismo. Goldstein entrou num grupo de discussão para ocidentais num templo famoso em Bangkok, onde se revelou uma presença controversa.

– As pessoas pararam de frequentar o grupo por minha causa – disse ele, rindo. – Você já deve ter visto grupos assim, em que uma determinada pessoa nunca para de falar. Essa pessoa era eu. Até que um dos monges que lideravam o grupo disse: 'Joseph, acho que você deveria tentar fazer meditação.'

Goldstein aceitou a sugestão. Sozinho em seu quarto, colocou um despertador para cinco minutos depois e começou a praticar. Ficou instantaneamente apaixonado.

– Vi que havia uma forma sistemática de nos tornarmos conscientes do que acontece dentro de nossa própria mente – afirmou. – Parecia extraordinário para mim. Sem essa consciência, vivemos nossas vidas apenas agindo a partir de nosso condicionamento, de nossos hábitos.

Goldstein ficou tão entusiasmado que começou a chamar seus amigos para vê-lo meditando.

– Eles não voltaram mais – contou, rindo.

– Então você era ligeiramente insuportável? – perguntei.

– Ah, sim. Mas acho que os últimos quarenta anos de meditação me ajudaram.

Depois do Corpo da Paz, ele se mudou para a Índia, onde estudou meditação durante sete anos. Mais tarde, na metade da década de 1970, decidiu voltar para os Estados Unidos, onde desde então escreve livros, ensina e promove retiros.

Em relação aos retiros, perguntei:

– A maioria das pessoas acha que nove dias inteiros só de comida vegetariana, sem poder falar e com seis horas diárias de meditação silenciosa parecem...

–... um inferno – completou ele, me interrompendo com uma risada nem um pouco defensiva. – Mas, quando as pessoas tomam coragem e resolvem participar de um retiro, começam a enxergar como a mente está realmente agindo. Ali estamos vendo bem de perto o que nossas vidas realmente são.

Aquela teoria me impressionou: enquanto não olharmos diretamente para nossas mentes, não saberemos "o que nossas vidas realmente são".

– É incrível – comentei –, porque tudo o que vivenciamos neste mundo passa pelo filtro da mente, e passamos pouquíssimo tempo pensando em como esse mecanismo funciona.

– Exato. É por isso que quando as pessoas provam disso pela primeira vez ficam tão fascinadas. A vida é a manifestação de nossa mente.

Já que a conversa estava fluindo tão bem, achei que era o momento de apresentar a ele minha nova frase de efeito:

– As pessoas me perguntam se a minha vida melhorou por causa da meditação e gosto de dizer: ela está cerca de 10% melhor.

– Sim, 10% é bom para começar uma prática de meditação. Esse é um percentual imenso. Por exemplo, se você tivesse 10% do seu dinheiro...

– É um bom retorno para um investimento.

– E é um ótimo retorno, que vai ficando cada vez maior com o tempo – acrescentou ele.

Era inevitável que a conversa tomasse esse rumo. Joseph estava sinalizando que seria possível não só ficar 10% mais feliz, mas até 100%.

– Preciso admitir – falei – que continuo sem acreditar muito no conceito de iluminação. Por isso eu gostaria de lhe perguntar: você acredita que a alcançou?

– Não.

Mas logo depois ele disse algo que me surpreendeu. Embora não tenha atingido uma completa iluminação – livrar-se totalmente da ambição, do ódio e da ilusão quanto à natureza da realidade –, ele alegava estar indo nessa direção, mais ou menos no meio do caminho.

Eu tinha lido sobre isso quando voltara do retiro. De acordo com a escola de budismo a que Joseph pertencia – há várias –, existem quatro estágios de iluminação. Atingir o primeiro estágio é "entrar no riacho" e depois vem o caminho do "somente um retorno", o do "não retorno" e por fim a iluminação completa, conhecida como "arhant". Cada um desses estágios tem 16 subníveis.

– Quer dizer que você atingiu um dos estágios iniciais? – perguntei.

– Sim, e ainda preciso fazer muito mais.

– Como você aplica isso no dia a dia? Quando começa a ficar careca, quando algum ente querido morre, quando seu time perde um campeonato, você não sofre?

– Eu diria que a quantidade de sofrimento nessas situações diminuiu tremendamente. Não é que eu não sinta as coisas, mas também não me identifico ou me apego a elas. Não faço drama. Com a prática, você permite que as emoções venham e vão mais facilmente.

– Você não tem medo da morte?

– Nunca se sabe quando vamos chegar ao portal, mas nesse momento eu não estou lá.

Como é que eu podia processar tudo isso? Eu estava sentado diante de um cara genial e capaz de rir de si mesmo. Joseph Goldstein não tinha a menor pinta de maluco. Ainda assim, ele estava me dizendo não só que acreditava na iluminação – uma transformação aparentemente mágica que despe a mente de todas as coisas que a maioria das pessoas acredita ser parte da natureza humana –, mas também afirmava que estava no meio do caminho para chegar lá. Será que eu estava me deixando enganar devido à nossa afinidade?

Tornando tudo ainda mais confuso havia o fato de que, embora a iluminação parecesse impossível, Joseph realmente parecia mais feliz que a maioria das pessoas.

Não sei exatamente por quê, mas eu não conseguia engolir essa história. Talvez porque me fizesse sentir que minha solução dos 10% seria insuficiente. Ou talvez porque eu não conseguisse conciliar minha admiração por Joseph com as coisas aparentemente irracionais em que ele acreditava. Será que essas crenças deveriam me fazer questionar a validade de todos os outros ensinamentos dele? Se Joseph realmente acreditava em iluminação, como eu podia levar a sério qualquer outra coisa que ele falasse?

Felizmente, ao voltar para o escritório, consegui colocar de lado aquele debate teórico sobre 10% ou 100% e aplicar o que havia aprendido no retiro aos desafios concretos que eu precisava enfrentar. De fato, a prática da consciência e da contemplação estava sendo muito útil.

Após o período inicial de indignação por Jim Murphy ter dito que eu jamais seria um dos âncoras principais da emissora, decidi abordar o problema à maneira budista: debruçar-me sobre ele, levar a sério o ponto de vista do outro e responder em vez de reagir. Então me forcei para considerar uma possibilidade desagradável: será que eu era como um gato que se olha no espelho e vê um leão?

Mas eu não estava disposto a admitir – nem para mim nem para ninguém – que a previsão pessimista de Murphy era correta. No entanto, meu novo eu contemplativo, em vez de automaticamente rechaçar o comentário de Murphy e reagir com raiva, foi capaz de perceber que ele estava tentando me ajudar, embora também quisesse dizer que eu não estava com essa bola toda só para eu assinar logo a porcaria do contrato.

Nesse ponto, ele teve sucesso. Sua dose não solicitada de perspectiva sobre a minha carreira me persuadiu a jogar a toalha e aceitar a proposta.

Ao assinar o contrato, disse a mim mesmo que seria capaz de apresentar o *Good Morning America*, uma oportunidade que impulsionaria minha carreira. Libertar-me da formalidade dos noticiários da noite iria abrir novos horizontes. Mas acontece que trabalhar como apresentador do noticiário matinal não era tão fácil quanto poderia parecer.

Nos cinco anos em que fui âncora do *World News* de domingo, eu tocava o programa praticamente sozinho. Mas 99% do que saía da minha boca era escrito por mim e colocado no teleprompter. Quando repórteres apareciam nas entradas ao vivo, eu já sabia o que eles iriam dizer. Ou seja, havia poucas surpresas. Agora eu teria que ser parte de um elenco de quatro apresentadores – incluindo uma coâncora, um leitor das manchetes do dia e um meteorologista –, todos com liberdade para falar o que quisessem a qualquer momento. Essa perda de controle criava alguns desafios interessantes.

O *GMA* dava inúmeras oportunidades de improviso. Os telespectadores queriam ver os apresentadores interagindo espontaneamente. Depois que o resumo das matérias do dia ia ao ar, dávamos bom-dia ao público e falávamos um pouco sobre o que iríamos apresentar. Nossas falas apareciam no teleprompter, mas era só um guia, uma base para uma conversa mais natural. No entanto, quando o bate-papo se desviava para algo que eu não esperava, às vezes ficava tenso, remexendo em meus papéis nervosamente ou dando gargalhadas forçadas.

Isso era frustrante para mim. Por trás das câmeras, eu sempre era capaz de responder com frases bem-humoradas em diversas situações. Em parte, o que estava me inibindo era o fato de que – e só então percebi isso – as piadas que me vinham à mente eram mais apropriadas para um show de TV a cabo tarde da noite do que para o programa de variedades matutino.

Questões básicas de logística também me atrapalhavam. Como me sentar no sofá sem me esparramar ou abrir muito as pernas? Como pedir delicadamente aos outros apresentadores que terminassem uma conversa quando os produtores gritavam no meu ponto de ouvido que o tempo estava quase esgotado? Ninguém havia me ensinado essas coisas.

Isso tudo sem contar o desafio de me ajustar ao conteúdo do programa. Eu sabia que falaríamos de assuntos bem mais leves do que aqueles a que estava acostumado no noticiário da noite. No entanto, às vezes me sentia pouco à vontade em situações que não haviam sido parte da minha experiência profissional até o momento: bancar o juiz num concurso para determinar qual era o menor e mais leve chihuahua do mundo, competir com os outros apresentadores para ver quem fazia a melhor casinha de biscoito de gengibre no Natal e por aí vai.

Felizmente, o *Nightline* e o *World News* continuaram me oferecendo oportunidades de trabalhar no que eu fazia de melhor. Fiz várias reportagens sérias sobre o Iraque, a pena de morte, evangélicos secretamente convertidos ao budismo. Por outro lado, eu estava descobrindo que o trabalho no *GMA* dos fins de semana também tinha seus pontos positivos. Apesar da minha ocasional falta de jeito, meus colegas estavam me elogiando. Os chefes também estavam felizes porque nosso grupo de apresentadores tinha uma "ótima química".

Embora a audiência dos fins de semana fosse bem menor que a do *GMA* de segunda a sexta, nosso relacionamento com os espectadores era muito mais íntimo, já que o formato do programa era mais solto e pessoal. A televisão matutina era um excelente meio para transmitir informações úteis e importantes. Entrar na casa das pessoas discutindo eventos atuais de forma descontraída quando elas começavam a se preparar para o seu dia tinha um impacto único – talvez até mais poderoso que a natureza sóbria e solene do noticiário da noite. Sentia-me muito agradecido e sortudo por ter aquele emprego.

Mas a intimidade com a audiência era uma faca de dois gumes. Embora eu gostasse da oportunidade de conversar com os telespectadores via Facebook e Twitter, era óbvio que alguns deles se sentiam com liberdade de dar suas opiniões sobre mim. Eu mantinha um arquivo com as minhas mensagens favoritas (em sua forma original, sem correções):

"Você poderia pfv desabotoar seu blazer????? Vc parece estar totalmente desconfortável ☺"

"Por favor, diga ao Dan para se sentar direito na mesa e PARAR de se inclinar à direita em direção a Bianna. Isso nos distrai."

"Livrem-se do Dan, por favor."

"Gostaria de lhe informar que sua gravata não está no lugar certo, parece toda torta."

"*Don*, você está com um fio de cabelo fora do lugar, parecendo o ALFAFA de *Os Batutinhas*!"

"Faça-me um favor, fale menos e pare de tentar aparecer mais que os outros. Você está fazendo papel de palhaço."

"Vc devia gravar o programa e ouvir a si mesmo falando. Quando dá notícias mais sérias, você não pode fazer isso com uma voz alegre."

Eu estava mesmo gravando o programa para me assistir – e minha autocrítica era muito mais dura que qualquer comentário dos telespectadores. E não era muito fã daquele cara que eu via na televisão todo empolgado falando do terninho novo do canguru aleijado.

Nisso a meditação realmente ajudou. Após o retiro, eu meditava até 30 minutos por dia. Toda manhã, olhava para minha agenda para saber como encaixar trabalho, meditação, exercício e Bianca. Algumas tardes, meditava no sofá do escritório mesmo, enquanto esperava a aprovação de algum texto. Nem sempre eu tinha ânimo para meditar. Na verdade, o primeiro pensamento que me vinha à cabeça quando fechava os olhos geralmente era *Como é que vou aguentar fazer isso por meia hora?* Mas aí eu enxergava esse pensamento como apenas um pensamento e pronto. Raramente passava um dia sem meditar e, quando isso acontecia, não só me sentia culpado como também menos consciente e perceptivo.

Quando me sentia nervoso em relação ao trabalho, eu observava como aquilo se manifestava em meu corpo – um aperto no peito, minhas orelhas ficando vermelhas, a cabeça meio pesada. Investigar e rotular meus sentimentos realmente os colocava sob uma nova perspectiva: pareciam muito menos sólidos. O método

RAIN e o mantra "Isso é útil?" de Joseph sempre me ajudavam a me livrar das espirais de pensamentos negativos.

Mas, ainda que a meditação me tornasse mais resiliente, não era uma cura para tudo. Em primeiro lugar, não me ajudou a relaxar no *GMA*. Além disso, embora eu já fosse capaz de me recuperar mais rapidamente, a meditação não prevenia todo tipo de ruminação. Em alguns fins de semana, após o trabalho eu saía do estúdio chateado, pensando sem parar em coisas como o canguru Irwin.

Num desses dias, saí do escritório e fui me encontrar com Mark Epstein para um brunch. Desde que o conhecera, dois anos antes, nós nos tornamos verdadeiros amigos. Ele e sua esposa até já haviam almoçado na minha casa.

Naquela manhã, cheguei ao restaurante com uma lista de itens no meu arquivo de notas do celular que havia chamado de "Perguntas para Mark". A principal delas: o fato de eu ainda julgar meu desempenho no trabalho seria um sinal de imaturidade na meditação? A prática da contemplação e da atenção plena não deveria ser mais eficaz para extinguir esse tipo de coisa?

– Deixe eu tentar descrever exatamente como a meditação está me ajudando. Ela me permite dar um passo atrás e observar tudo acontecendo e, por meio desse processo, consigo reduzir a força que os pensamentos têm sobre mim. Seria isso?

– Sim – respondeu ele.

– Então não vai acabar com minhas preocupações – concluí.

– Não. Vai contribuir para que elas sumam mais rápido. Talvez. *Talvez.* – Ele sacudiu a cabeça enquanto escolhia cuidadosamente as palavras. – À medida que o afasta do hábito de ver esses seus problemas como terríveis, a meditação também o afasta do apego ao melodrama da situação.

– Meu remédio nesses dias é combinar a isso algumas coisas

não meditativas – expliquei. – Penso assim: se der tudo errado, qual é o pior cenário possível? Perder meu emprego? Ainda tenho uma esposa que me ama. A única pessoa que pode arruinar isso sou eu mesmo.

– Mas isso tem a ver com meditação, sim. É um momento de descoberta e compreensão! – Ao falar isso, a voz dele subiu uma oitava.

– *Uma compreensão da natureza da realidade?* – perguntei, irônico.

– Sim – respondeu ele, ignorando meu sarcasmo. – É uma compreensão, porque você não está se apegando tanto ao sucesso.

– Mas talvez esteja me apegando demais a Bianca.

– O que é bem melhor. Você está se apegando a algo muito mais substancial.

Sentado ali refletindo sobre as palavras de Mark, meu novo slogan – 10% mais feliz – começou a fazer ainda mais sentido. Lembrei do que ele me ensinara um ano antes, quando eu não tinha certeza se David Westin me colocaria no *GMA*. Naquela época, ele me ajudara a enxergar que o objetivo de se colocar detrás da cachoeira não era resolver magicamente seus problemas, mas sim lidar melhor com eles ao criar espaço entre o estímulo e a resposta. Era uma questão de atenuar, e não de curar. Mesmo após décadas de prática, Mark – que, ao contrário de Joseph, não alegava ter atingido qualquer estágio de iluminação – me disse: "Ainda sofro como uma pessoa normal."

Eu podia ver agora como a atenuação que Mark defendia tinha consequências na vida real. Por exemplo, me permitiu reconhecer que eu realmente tinha problemas de desempenho, em vez de fingir que eles não existiam. Talvez mais importante que isso, eu me tornei uma pessoa bem mais fácil de se conviver. Bianca disse que nem se lembrava mais da última vez que cheguei em casa mal-humorado depois do trabalho.

Foi esclarecedor observar minhas próprias dificuldades como apresentador do programa matinal através da lente do "sofrimento". Num mundo caracterizado pela impermanência, onde todos os nossos prazeres são passageiros, eu tinha acreditado que ao ser promovido para o *GMA* atingiria uma satisfação completa – e fiquei chocado quando isso não aconteceu. Essa, como Joseph havia afirmado no retiro, é a mentira que contamos a nós mesmos a vida toda: assim que conseguirmos o próximo jantar, festa, viagem, encontro sexual, assim que casarmos, formos promovidos, chegarmos a tempo no aeroporto, nos sentiremos felizes. Mas, quando nos encontramos no portão de embarque, não nos damos ao trabalho de examinar essa mentira que impulsiona nossas vidas. Dizemos a nós mesmos que vamos dormir melhor, dar uma corrida, tomar um café da manhã mais saudável e então, finalmente, tudo estará perfeito. Vivemos boa parte do tempo impelidos por esses pensamentos – "Ah, se eu conseguisse isso, então..." –, mas a insatifação continua. A busca da felicidade se transforma na fonte de nossa infelicidade.

Joseph sempre afirmava que ver a realidade do sofrimento "inclina a mente em direção à liberdade". Talvez, mas toda a conversa sobre iluminação continuava me dando impressão de ser totalmente teórica e inatingível – para não dizer ridícula. Aqui no mundo real, pessoas como eu precisavam buscar a felicidade, mesmo que passageira. Ao me despedir de Mark, eu estava certo de que estava extraindo o máximo humanamente possível do poder da meditação.

No entanto, como estava prestes a descobrir, havia aplicações práticas e simples que eu não havia considerado ainda. Essas medidas estavam sendo adotadas por pessoas que jamais vestiriam um xale, e por razões que acabariam de vez com a minha vergonha de ser um meditador.

Capítulo 9
A nova cafeína

— Que imbecilidade.

Foi assim que o cabo Jason Lindemann, um rapaz de 20 e poucos anos, descreveu sua primeira impressão sobre a prática de meditar.

– A primeira vez que nos mandaram fazer isso, só pensei: "Ai, que saco." – ele me contou.

O cabo Lindeman e eu estávamos conversando em Camp Pendleton, uma base dos fuzileiros navais no sul da Califórnia.

– Então você achava que meditar seria inútil no seu caso? – perguntei.

– Isso mesmo – respondeu, sem qualquer hesitação.

Lindeman havia sido escolhido para participar de um estudo científico encomendado por oficiais do Corpo de Fuzileiros Navais. O interesse dos militares foi despertado por novas pesquisas convincentes sobre a meditação. As evidências científicas estavam atraindo grupos surpreendentes – antes céticos convictos, mas que agora empregavam a atenção plena de formas também surpreendentes. Essas novas perspectivas revolucionariam meu relacionamento com o trabalho e derrotariam de uma vez por todas a noção de que a meditação tornaria as pessoas "totalmente ineptas".

Em minhas viagens para seminários budistas, ouvi falar de várias pesquisas científicas sobre meditação. Pareciam promissoras, então resolvi investigá-las. O que descobri me deixou maravilhado. A meditação, que já fora parte da contracultura, agora era respaldada por estudos sérios. Havia milhares deles, sugerindo uma lista quase inacreditável de benefícios à saúde, incluindo melhora nos sintomas de:

- Depressão grave
- Vício em drogas
- Compulsão alimentar
- Fumo
- Estresse em pacientes de câncer
- Solidão em pessoas idosas
- Transtorno de déficit de atenção
- Asma
- Psoríase
- Síndrome do intestino irritável

Estudos também indicavam que a meditação reduz os níveis dos hormônios do estresse, reforça o sistema imunológico, aumenta o foco e a concentração e melhora o desempenho de estudantes. Aparentemente, a meditação só não era capaz de fazer as pessoas se comunicarem com animais e entortarem colheres com o poder da mente.

Essa explosão de pesquisas começou com um juBu chamado Jon Kabat-Zinn, um microbiólogo formado no MIT que alegou ter tido uma epifania – "uma visão", como dizia – durante um retiro em 1979. Essa visão era a de que ele poderia levar a meditação para um público muito maior se a despisse da metafísica budista. Kabat-Zinn criou um método de oito semanas chamado Redução do Estresse Baseada na Atenção Plena (MBSR), que ensinava meditação secular para milhares de pessoas nos Estados Unidos e no resto do mundo. Ter um protocolo de meditação simples tornou mais fácil testar os efeitos dessa prática nos pacientes.

As coisas tomaram um rumo de ficção científica quando os pesquisadores começaram a examinar os cérebros de meditadores usando ressonância magnética. Um estudo de Harvard descobriu que as pessoas que participavam do curso de oito semanas de Kabat-Zinn tinham mais massa cinzenta nas áreas do cérebro associadas à autoconsciência e à compaixão, enquanto as áreas associadas ao estresse diminuíam. Esse estudo pareceu confirmar o poder de responder em vez de reagir. As regiões em que a massa cinzenta encolheu eram, em termos evolutivos, as partes mais antigas do cérebro humano, bem acima da coluna espinhal, que guardam nossos instintos mais básicos. Por outro lado, as áreas que cresciam eram as partes mais novas do cérebro, como o córtex pré-frontal, que evoluiu para nos ajudar a regular nossas urgências primais.

Outro estudo, realizado em Yale, examinou a parte do cérebro conhecida como rede de modo padrão, que é ativada quando ficamos perdidos em nossos pensamentos – ruminando sobre o passado, projetando o futuro ou pensando obsessivamente em nós mesmos. Os pesquisadores descobriram que os meditadores desativavam essa região não só enquanto praticavam como também fora da prática. Ou seja, a meditação criava uma nova rede de modo padrão no cérebro. Podia sentir isso acontecendo comigo. Eu me via cultivando uma espécie de nostalgia do presente, desenvolvendo um reflexo de esmagar pensamentos inúteis e notando mais as coisas que aconteciam à minha volta: um bafo de ar quente vindo da ventilação do metrô, o tapete de luzes nas periferias das cidades que eu via do avião antes de aterrissar, o reflexo da luz nas ondas formadas pelos barcos. Nos momentos em que era temporariamente capaz de silenciar minha mente de macaco e apenas vivenciar o que acontecia ao meu redor, eu sentia de novo um gostinho daquela felicidade que experimentara durante o retiro.

Embora os cientistas enfatizassem que essas pesquisas ainda estavam em estágios embrionários, os estudos ajudaram a demolir um dogma neurocientífico que havia prevalecido durante gerações: a velha ideia de que o cérebro para de se desenvolver quando chegamos à idade adulta. Essa ortodoxia agora era substituída por um novo paradigma, chamado neuroplasticidade. O cérebro, na verdade, está constantemente se modificando em resposta às nossas experiências. É possível esculpi-lo com a meditação, assim como aumentamos e tonificamos os músculos por meio de exercícios físicos.

O que a ciência estava mostrando era que nossos níveis de bem-estar, resiliência e controle de impulsos não são traços de nascença, parte de nós que devemos aceitar como fato consumado. O cérebro, órgão da experiência, através do qual vivemos nossas vidas, pode ser treinado. A felicidade é algo que aprendemos a cultivar.

Entre as pessoas improváveis que estavam ficando mais receptivas à meditação devido aos resultados desses estudos estavam duas mulheres determinadas e bem-sucedidas que me influenciaram muito.

Minha mãe – a primeira cética na minha vida, aquela que me disse que Deus e Papai Noel não existiam – ficou impressionada com o estudo de Harvard que mostrou o aumento da massa cinzenta no cérebro dos meditadores. Após ler sobre isso, ela me pediu de presente de Natal um livro sobre meditação. Semanas depois, ela me disse que começara a praticar durante meia hora por dia, algo que levei um ano para conseguir fazer. Minha resposta emocional a essa informação foi dividida em três partes: eu me senti 80% satisfeito porque ela validou algo importante para mim; 17% humilhado; 3% ressentido.

A outra mulher foi Diane Sawyer. Ela era um dos seres humanos mais inteligentes, profissionais, perfeccionistas e curiosos que já conheci. Nós nos dávamos muito bem, mas confesso que me sentia um pouco intimidado por ela. Até que finalmente venci o medo e sugeri uma pauta sobre meditação, usando como gancho o fato de que as pesquisas científicas estavam inspirando grupos inusitados a aderir à prática da atenção plena. Para minha grande satisfação, Diane gostou da ideia.

Quando a executiva de relações públicas vestindo uma blusa de oncinha começou a usar expressões como "desapegar" e "voltar-se para as suas emoções", ficou claro para mim que a meditação havia se disseminado muito além do gueto budista.

Depois que Diane me deu sinal verde para fazer as reportagens sobre meditação, minha primeira parada foi Minneapolis, na sede da multinacional General Mills, o gigante corporativo da área de alimentação. Todos ali pareciam certinhos e simpáticos, embora sérios e profissionais. A pessoa responsável por isso era uma advogada chamada Janice Marturano. Ela havia descoberto a meditação alguns anos antes e, percebendo seus benefícios, começou a espalhar essa ideia para outros executivos da empresa. Grande parte do sucesso de Marturano em trazer a meditação para o meio corporativo devia-se à forma como ela apresentava o tema: não como um exercício "espiritual", e sim como algo que tornaria a pessoa um "líder melhor" e "mais focado", além de aumentar a "criatividade e inovação". Ela nem usava o termo "redução de estresse". Para muitos funcionários, ela disse: "Ter estresse na vida não é uma coisa ruim, até pode melhorar o desempenho." Eu gostei disso – uma filosofia de meditação que deixava espaço para o meu lema do "preço da segurança".

Marturano tinha uma série de dicas práticas que se estendiam muito além da sala de meditação. Um de seus principais conselhos era um desafio direto para mim, um ataque a um pilar central da minha vida profissional.

– Quer dizer que eu não posso ser multitarefa? – perguntei quando nos sentamos para a entrevista.

– Não sou eu quem está dizendo isso – ela explicou. – É a neurociência que afirma que nossa capacidade de realizar várias tarefas ao mesmo tempo não existe. Multitarefa é um termo que vem dos computadores. Nós temos apenas um processador. Não podemos fazer isso.

– Eu tenho a sensação de que, quando sento na minha mesa fazendo dezessete coisas ao mesmo tempo, estou sendo engenhoso e eficiente. Você quer dizer que estou apenas perdendo meu tempo?

– Sim, porque, quando você muda de um projeto para outro, sua mente está voltada para o primeiro e não é eficaz de imediato na nova tarefa. Ela precisa dar alguns passos para trás para depois retomar o novo projeto, e é aí que se perde produtividade.

Esse problema fica evidente nos novos tempos, em que somos tentados continuamente pelo canto de sereia das mensagens do smartphone, das redes sociais, etc. Os cientistas até inventaram um termo para essa nova condição: "atenção parcial contínua". Essa síndrome era totalmente familiar para mim, mesmo depois de começar a meditar.

Marturano recomendava algo radical: faça uma coisa de cada vez. Quando estiver ao telefone, fique apenas ao telefone. Quando estiver numa reunião, esteja presente. Reserve uma hora para checar seu e-mail, depois desligue o computador e se concentre na tarefa que precisa completar.

Outra dica: faça pequenos intervalos conscientes durante o dia. Por exemplo, em vez de ficar remexendo nas coisas na mesa enquanto o computador liga, observe sua respiração por alguns minutos. Ao dirigir, desligue o rádio e sinta suas mãos no volante. Quando estiver caminhando de uma reunião para outra, deixe o celular no bolso e apenas perceba as sensações de suas pernas se movimentando.

– Mas, se eu fosse um samurai corporativo – questionei –, ficaria preocupado em dar todas essas pausas, porque saberia que a concorrência não faz pausas. Todos trabalham sem parar.

– Sim, mas isso seria presumir que as pausas não ajudam. Na verdade, elas ajudam a pensar mais claramente e a focar no que é importante.

Isso foi outro golpe no meu estilo de trabalhar. Sempre pensei que o planejamento era uma receita de eficiência, mas o argumento de Marturano era que excesso de maquinação mental era contraproducente. Quando a pessoa se joga de uma coisa para outra, sempre planejando os próximos passos, a mente fica exausta. A pessoa se confunde e toma decisões erradas. Compreendi como o ato contraintuitivo de parar por alguns segundos poderia ser uma fonte de força, não de fraqueza. Esse era um complemento prático ao mantra de Joseph, "Isto é útil?". Não era uma distração; pelo contrário, era uma maneira de se concentrar.

De fato, fiz uma busca e descobri que havia estudos sugerindo que pausas podem ser um ingrediente fundamental para a criatividade e a inovação. Pesquisas mostravam que a melhor forma de se chegar a uma solução eficiente era trabalhar duro, ter foco, pesquisar e pensar sobre o problema – e depois relaxar. Fazer outra coisa. Isso não significa necessariamente meditar, mas fazer algo que descanse a mente e a distraia da questão. Deixe seu inconsciente trabalhar, fazendo as conexões entre partes díspares do cérebro. Isso também era contraintuitivo para mim. Meu impulso, ao me deparar com um problema espinhoso, era passar logo como um trator sobre ele, inundá-lo de pensamentos. Mas as melhores soluções muitas vezes chegam quando nos permitimos ficar confortáveis com a ambiguidade. É por isso que as pessoas costumam ter grandes ideias quando estão no chuveiro.

Janice Marturano estava à frente do que havia se tornado uma nova e improvável tendência no mundo corporativo. Estavam ensinando meditação em cursos de MBA. Publicações como *Wall Street Journal* e *Harvard Business Review* tratavam do assunto sem qualquer deboche. Altos executivos estavam aplicando princípios da atenção plena para evitar que pequenos conflitos se tornassem brigas sérias e que cada e-mail ou telefonema prejudicasse o foco. Um artigo na revista *Wired* se referia à meditação como a "nova cafeína" no mundo da tecnologia.

E não eram apenas empresas que aderiam à meditação, mas também escolas, prisões e a Marinha americana, que ativamente consideravam a meditação uma forma de efetuar uma espécie de "mudança de regime" em suas tropas. Por isso a parada final da minha reportagem foi Camp Pendleton, onde conheci o cabo Lindemann, aquele meditador relutante.

Inicialmente os fuzileiros navais se interessaram pela meditação porque acharam que ajudaria nos casos de transtorno de estresse pós-traumático dos militares que voltavam de guerras. Mas agora também havia esperança que a prática fosse produzir soldados mais eficientes, menos impulsivos e vulneráveis. Essa era a ideia mais contraintuitiva de todas: a meditação como forma de lidar com a guerra.

Embora houvesse resistência no início, muitos dos fuzileiros acabaram gostando de meditar. Até mesmo o cabo Lindemann foi aos poucos mudando de ideia. Ele me disse que agora achava mais fácil se acalmar depois de situações estressantes. "No início, eu estava meio cético, mas depois comecei a reparar em pequenas mudanças", contou.

Após concluir essa reportagem, também tive uma "visão" repentina. Os produtores do *GMA* decidiram fazer um programa especial chamado "A viagem mais barata da América". Colocaram os apresentadores num carro alugado, adaptado com câmeras dentro e com algumas coordenadas de GPS. A ideia era fazer aqueles âncoras almofadinhas dirigirem centenas de quilômetros até um acampamento no litoral, armar suas próprias barracas e cozinhar sua própria comida. Isso deveria gerar muitas situações hilárias. Mas também tinha uma utilidade informativa: como a economia estava no buraco, o programa traria alguns conselhos para quem queria sair de férias gastando pouco.

Em algum ponto da estrada, paramos num posto de gasolina. Enquanto esperava o pessoal da equipe usar o banheiro, decidi fazer um pouco de meditação caminhando. Mal dei três passos e uma família passou por mim e ficou me olhando como se eu fosse maluco. Fiquei sem graça e fingi consultar meu smartphone.

Foi quando tive minha visão. Nada muito elaborado; simplesmente imaginei um mundo em que andar como um zumbi não fosse motivo de vergonha – onde a meditação fosse universalmente aceita pela sociedade. Senti que essa realidade não estava muito longe de acontecer. Veja bem, eu não estava prevendo nenhuma "mudança na consciência planetária". Em vez disso, imaginei um mundo em que as pessoas eram 10% mais felizes e menos propensas a reagir sem pensar. Imaginei o efeito que isso poderia ter nos casamentos, na criação de filhos, no trânsito, na política – no telejornalismo.

Revoluções na saúde pública aconteciam muito rápido. A maioria dos americanos não escovava os dentes com frequência até a Segunda Guerra, quando os soldados foram obrigados a manter a higiene dental. Exercícios físicos só se tornaram populares depois da segunda metade do século XX, quando a ciência demonstrou o bem que faziam à saúde. Nos anos 1950, se você dissesse a alguém que iria correr, perguntariam se alguém o estava perseguindo. A diferença com a meditação era que, se a prática fosse realmente disseminada, o impacto iria muito além de aumentar o tônus muscular ou evitar cáries. A meditação, eu agora acreditava, poderia de fato mudar o mundo.

Claro que eu não estava meditando para exercer um impacto global. Meus interesses eram paroquiais: eu queria apenas um alívio do meu ego. Agora, no entanto, eu me encontrava na curiosa posição de acreditar profundamente numa causa.

Do meu ponto de vista, o maior impedimento para essa visão se tornar realidade era o problema de marketing que a meditação sofria. Ainda era levemente embaraçoso admitir para a maioria das pessoas que eu meditava, em especial porque a prática havia sido popularizada por pessoas de bata, barba longa e voz monocórdica.

Sempre tive obsessão por descobrir boas matérias e encontrar maneiras de torná-las interessantes. A importância da meditação talvez fosse a história de maior impacto que já cobri na vida. De várias maneiras, defender essa pauta era o meu ato mais louco no jornalismo. Se meditar era uma gigantesca ajuda para um cético como eu, imagine o que poderia fazer pelos outros. Achei que, se pudesse encontrar uma forma de tornar a meditação mais atraente para o público geral, estaria prestando um grande serviço.

Para ter sucesso nessa empreitada, no entanto, eu precisava de formas inteiramente novas de abordar o assunto.

Embora estivesse empolgadíssimo com a ideia de popularizar a meditação, a preocupação de alguns dos meus amigos budistas da velha escola, incluindo Mark Epstein, me fez refletir. Os tradicionalistas não gostavam da ironia de capitalistas e fuzileiros navais abraçarem uma prática que desdenhava o acúmulo de riquezas e a violência. Havia algo importante que estava ficando de fora nessa massificação da prática: a compaixão.

Eu tinha lido livros e frequentado um número suficiente de palestras para saber que os budistas sempre falavam em compaixão, mas havia decidido ignorar esse tema da mesma forma que fiz com carma e reencarnação. Era verdade que a contemplação me deixara mais calmo e menos propenso a reagir sem pensar e que eu agora sentia o desejo de espalhar esse conhecimento, mas ainda assim eu não tinha o objetivo de virar uma Madre Teresa.

Minha resistência era baseada em parte no fato de que a meditação de compaixão era um tanto irritante – mas também vinha da crença profunda de que cada um de nós tem um nível de bondade que não poderia ser alterado; e, no meu caso, esse nível não era particularmente alto. Eu sou um cara bonzinho, adoro crianças e animais, talvez até consiga chorar em uma comédia romântica se ninguém estiver olhando. Mas o conceito budista de compaixão sem limites parecia inalcançável.

Mais uma vez, a ciência – e um encontro bem oportuno – estraçalhariam minhas ideias preconcebidas.

Capítulo 10
Razões egoístas para não ser um babaca

O ícone internacional da compaixão marchou para dentro da sala e declarou que precisava se aliviar.

— Primeiro o dever! — disse Sua Santidade, o Dalai Lama, enquanto se dirigia apressadamente ao banheiro. Ele parecia animado, mas não estava — como décadas de publicidade positiva constante poderiam nos levar a imaginar — *alegrinho*. Além disso, os membros de sua comitiva eram uniformemente sisudos e não davam um sorriso.

Cheguei para essa entrevista de mau humor. A maioria dos meus amigos no mundo da meditação reverenciava o Dalai Lama, mas para mim ele representava a parte do budismo que menos me agradava. O que eu gostava no darma era seu empirismo rigoroso e a aceitação inabalável das verdades mais duras. Ali, no entanto, estava um cara vestido com uma túnica, consagrado aos dois anos de idade porque alguns monges alegaram ter visto sinais no céu perto da casa dele. Décadas depois, esse homem tornou-se amigo de celebridades, escreve para a *Vogue* e aparece em comerciais da Apple.

Depois que Sua Santidade esvaziou a bexiga, começamos a entrevista. Minha primeira pergunta foi sobre o fato de ele apoiar as pesquisas científicas sobre meditação.

— E se os cientistas descobrirem algo que contradiga a sua fé? Isso não é um risco?

– Não, não é. Se um cientista provar a não existência de algo em que acreditamos, então temos que aceitar isso.

– Então, se os cientistas descobrirem algo que contradiga suas crenças, isso irá mudar suas crenças.

– Ah, sim, sim.

Boa resposta. Mas pensei comigo mesmo se essa política se aplicaria à crença na reencarnação. Se os cientistas provassem que ele não era a reencarnação do Dalai Lama anterior, isso acabaria com todo o seu poder religioso e político.

A próxima pergunta foi para testá-lo:

– A mente do senhor está sempre tranquila?

– Não, não, não. Às vezes fico bem irritado.

– É mesmo?

– Claro. Alguém que nunca perde a cabeça deve ter vindo de outro planeta – disse ele, apontando para o céu e dando uma gargalhada, os olhos brilhando por trás dos óculos de lentes grossas.

– Então, se alguém disser "Eu nunca fico furioso", o senhor não acreditaria nessa pessoa?

– Não. Algumas pessoas dizem que isso é uma espécie de poder milagroso. Eu não acredito nisso.

Em poucos minutos, ele havia demonstrado ser mais razoável que Eckhart Tolle ou Deepak Chopra.

Sentado ali, eu me dei conta de que o Dalai Lama era mais uma pessoa que eu havia julgado de forma prematura e injusta. Afinal, mesmo acreditando num programa metafísico que não me convence, o Dalai Lama teve um papel fundamental no incentivo às pesquisas científicas sobre meditação, oferecendo tanto inspiração quanto ajuda financeira. Acima de tudo, ele havia respondido à invasão chinesa do Tibete com insistentes mensagens de perdão e não violência.

No decorrer da entrevista, minha postura – tanto interior quanto exterior – mudou. Não é que eu sentisse meu coração bater mais forte, mas passei a me inclinar para a frente na cadeira, com uma expressão meio extasiada. Ao fim de conversa, ele disse algo que transformou o meu ponto de vista sobre a compaixão.

– Tem uma citação do senhor de que gosto muito – falei, mencionando um post que ele havia publicado no Twitter. – "A maior parte dos problemas, preocupações e tristezas de uma pessoa vem do amor por si mesmo e do egocentrismo." Mas será que não precisamos ser um pouco autocentrados para termos sucesso na vida?

– Amar a si mesmo é natural. Sem isso, os seres humanos se tornam robôs, sem sentimento. Mas desenvolver uma preocupação verdadeira com o bem-estar dos outros é um benefício imenso para a própria pessoa.

Uma luz se acendeu na minha cabeça.

– O senhor está dizendo que ter compaixão também pode funcionar em causa própria?

– Sim. A prática da compaixão acaba sendo um benefício para você mesmo. Então normalmente eu digo: nós somos todos egoístas, mas seja um egoísta sábio em vez de um egoísta idiota.

Essa era uma abordagem totalmente nova para mim. Não seja bonzinho apenas para ser bonzinho, ele estava dizendo. Faça isso para seu próprio benefício. Associada a essa ideia, a coisa da compaixão de repente se tornou algo com que eu podia me identificar – talvez até pudesse colocar em prática.

Ao fim da entrevista, o Dalai Lama colocou um xale branco de cetim em volta do meu pescoço e me deu uma bênção. Enquanto minha equipe guardava os equipamentos e se preparava para deixar o local, ele me chamou e sugeriu que eu lesse o livro favorito dele, escrito por um sábio da Antiguidade chamado Shantideva.

Na verdade, não consegui terminar de ler o livro – mas aquela noção de ser uma pessoa boa por razões egoístas, ah, isso eu guardei para mim.

Havia estudos científicos de ponta dando sustentação ao argumento do Dalai Lama de que tentar não ser um babaca faz bem à própria pessoa, e não apenas aos outros. Na Universidade Emory estavam realizando uma pesquisa com pessoas comuns que haviam passado por um breve curso sobre meditação para compaixão. Essas pessoas eram colocadas em situações estressantes em laboratório, incluindo ter uma câmera de TV apontada para elas. Os cientistas descobriram que o cérebro dos meditadores produzia doses significantemente menores de cortisol, o hormônio do estresse. Ou seja, a prática da compaixão também parecia estar ajudando o corpo a lidar melhor com o estresse. Isso tinha consequências importantes, pois a produção excessiva de cortisol contribui para causar doenças cardíacas, diabetes, demência em idosos, câncer e depressão.

E nem era preciso meditar para obter os benefícios da compaixão. Imagens de ressonância magnética do cérebro mostraram que atos de bondade causavam reações mais semelhantes a atos prazerosos (como comer chocolate) do que a atos rotineiros (como cumprir uma obrigação). Os mesmos centros de prazer eram iluminados quando a pessoa recebia um presente e quando doava algo para caridade. Neurocientistas se referiam a isso como "efeito brilho caloroso" do altruísmo. Pesquisas também revelaram que as pessoas mais variadas – de idosos a alcoólatras e a pacientes de AIDS – viam sua saúde melhorar quando trabalhavam como voluntárias em ações beneficentes. De forma geral, aquelas que sentem mais compaixão tendem a ser mais saudáveis, mais felizes, mais populares e mais bem-sucedidas.

Para convencer gente como eu, que não transbordava naturalmente de bondade amorosa, havia evidências de que meditar para compaixão pode nos tornar mais bondosos. A equipe do cientista Richard Davidson, um dos maiores expoentes nessa área de pesquisa, realizou estudos que mostraram como as pessoas que aprenderam a meditar para compaixão tiveram aumento de atividade cerebral nas áreas associadas a empatia e compreensão. Meu estudo favorito pediu às pessoas que usassem um gravador durante vários dias para registrar suas conversas com os outros. Ao final do período, os meditadores demonstraram mais empatia, passaram mais tempo com outras pessoas, riram mais e usaram menos a palavra "eu".

A pesquisa sobre compaixão era parte de uma grande mudança de perspectiva da psicologia moderna. Durante décadas, os cientistas se concentraram em catalogar patologias, mas agora estavam voltando sua atenção para emoções positivas, como felicidade e generosidade. Essas pesquisas contribuíram para uma nova visão da própria natureza humana, afastando-se do paradigma dominante focado no lado escuro de Darwin – ou seja, a sobrevivência dos mais fortes. Na visão antiga, o ser humano era totalmente egoísta e a moralidade era apenas uma fina camada de verniz. Já a nova visão leva em consideração um ramo do pensamento darwiniano há muito tempo sem receber a devida atenção: ele observou que tribos onde os membros cooperavam entre si e se sacrificavam uns pelos outros geralmente eram "mais vitoriosas em relação a outras tribos". Aparentemente, a natureza recompensava ambos: os mais fortes e os mais bondosos.

Eu tinha uma preocupação. Que valor adaptativo a compaixão teria em áreas profissionais competitivas, como o telejornalismo? Além disso, não gostava muito da meditação metta, que me parecia artificial. Mas desejava esses benefícios. Então, com um certo receio, adicionei mais um estudo paralelo ao experimento científico que estava conduzindo em mim mesmo.

Para um budista tradicional, minha abordagem da meditação parecia estar de trás para a frente. Em seu tempo, Buda primeiro dava lições de generosidade e moral antes de apresentar instruções de meditação a seus seguidores. Isso tinha uma lógica: é difícil a pessoa se concentrar quando está se remoendo de remorso por ter sido ruim com alguém, ou quando está fazendo malabarismos mentais para tornar verossímeis as mentiras que conta para os outros. Buda compilou uma lista dos onze benefícios da prática de metta, prometendo que a pessoa dormiria melhor, que seu rosto ficaria radiante, que as pessoas e os animais iriam amá-la, que seres celestiais iriam protegê-la e que ela renasceria numa esfera de existência mais feliz. Como sempre, a lista perdia impacto para mim ao resvalar para o sobrenatural.

Os fundamentos intelectuais da prática, por outro lado, eram fascinantes. Todos temos uma sensação de ser separados do mundo, observando a vida por detrás de nosso pequeno ser, competindo com outros seres isolados. Mas como podemos estar separados do mundo que nos criou? "Do pó ao pó" não é apenas algo que se diz nos funerais, essa é a verdade. É tão impossível alguém se desconectar do universo e de seus habitantes quanto é impossível uma onda se desprender do oceano. Eu não podia me imaginar derrotando esse sentimento profundo de separação, mas o esforço parecia valer a pena.

Cerca de duas vezes por semana, comecei a adicionar a metta à minha prática diária. De acordo com as instruções de Spring durante o retiro, eu tinha que passar os primeiros cinco ou dez minutos das minhas sessões visualizando e mandando boas vibrações para: eu mesmo, um "benfeitor" (Matt, Mark ou meus pais), um "amigo querido" (meu gato favorito, Steve), uma "pessoa neutra" (o porteiro do prédio), uma "pessoa difícil" (essa categoria não era difícil de preencher) e depois disso "todos os seres viventes" (eu fazia um tour pelo planeta no estilo de um documentário da *National Geographic*). No retiro, Spring havia nos aconselhado a não incluir ninguém por quem nos sentíssemos atraídos, mas resolvi adicionar Bianca, criando uma categoria especial só para ela.

Digamos que não adorei o processo de tentar cultivar sentimentalismo. Nunca mais fui capaz de chegar nem perto da catarse chorosa que tive no retiro, mas, como os livros budistas me asseguravam, o objetivo não era fazer sentimentos específicos surgirem ao meu comando; o importante era simplesmente tentar. A própria tentativa já era uma forma de fortalecer o músculo da compaixão da mesma forma que a meditação regular fortalece o músculo da contemplação.

Não posso afirmar se o que aconteceu a seguir foi puramente resultado de praticar metta. Pode ter havido outros fatores, como os efeitos inevitáveis do amadurecimento, ou uma pressão sutil dos meus amigos da subcultura da meditação. Seja qual for a causa, meses depois de incluir a compaixão na minha prática, as coisas começaram a se transformar. Não é que eu tenha me tornado um santo de repente, ou que tenha passado a exibir uma extroversão 100% verdadeira; a mudança foi que ser uma pessoa boa – algo que antes era importante apenas de forma abstrata – tornou-se uma prioridade consciente e diária para mim.

Instituí uma política de sempre olhar nos olhos da outra pessoa e sorrir ao falar com ela e acabei genuinamente gostando de fazer isso. Era como se estivesse me candidatando a prefeito. O fato de que meu dia a dia passou a incluir uma longa série de interações positivas me fazia sentir muito bem (e, além disso, aumentou minha popularidade). Reconhecer a humanidade básica das outras pessoas é uma forma incrivelmente eficaz de espantar o enxame de pensamentos egocêntricos que zumbem como abelhas voando em nossas cabeças.

No trabalho, passei a me abster mais de sessões de queixumes e fofocas. Reclamação é o ruído de fundo das redações, assim como o aperto de mãos secreto, aparelhos de fax apitando entre si ou cachorros cheirando os traseiros de outros. Embora não tenha abandonado completamente esse tipo de conversa – algumas discussões eram deliciosas demais para ignorar –, eu fazia o melhor possível para evitar isso, sabendo que provavelmente iria querer me banhar em gel antisséptico depois.

Via as pessoas tendo ataques de fúria – como viajantes no aeroporto brigando com funcionários da segurança – e sentia compaixão por elas. Admito que às vezes tinha um breve surto de superioridade e a tentação de recomendar meditação a elas, mas também podia, ao estilo de Bill Clinton, sentir a dor delas, as toxinas correndo por suas veias. O Buda captou isso muito bem quando disse que a raiva, que podia ser tão sedutora inicialmente, tinha "mel no topo" mas "veneno na raiz".

Não é que eu não me irritasse mais. Na verdade, quando você pratica atenção plena, acaba sentindo a irritação num nível mais profundo. No entanto, assim que você se liberta da ilusão de que as pessoas estão deliberadamente tentando prejudicá-lo, é mais fácil não se deixar dominar pela raiva. Como os budistas gostam de observar, todos querem a mesma coisa – felicidade –, mas buscamos isso com diferentes níveis de habilidade. Se você passa uma hora todo dia meditando e combatendo seu próprio ego, acaba se tornando mais tolerante com os outros.

Admiti por fim que talvez o conceito de carma tivesse um fundo de verdade. Não a parte sobre as decisões que tomamos hoje afetarem vidas futuras. No meu entendimento, não havia nada mecanicista ou metafísico no conceito de carma. Roubar um banco ou trapacear num jogo não leva a pessoa a renascer como um lagarto. Em vez disso, carma significaria que suas ações têm consequências imediatas na mente – e ela não pode ser enganada. Comporte-se mal e sua mente se contrai. A grande bênção – e o grande inconveniente – de adquirir mais consciência e compaixão era que eu estava bem mais sensível às ramificações mentais até das menores transgressões, como matar um inseto ou jogar lixo na rua.

Com o tempo, passei a sentir uma vontade cada vez maior de oferecer aos jovens mais inexperientes da emissora o tipo de conselho profissional que Peter Jennings e Diane Sawyer me deram. Descobri que aplicar a máxima do "preço da segurança" ao me preocupar com os desafios desses jovens era muito mais tranquilo que usá-lo para mim mesmo.

Reconheço que havia muito interesse próprio em jogo nessa minha nova prática. Não deixar minha mente ser dominada pela negatividade dava mais espaço para outra coisa emergir. Vivenciei um fenômeno que ouvi Joseph Goldstein descrever uma vez: um círculo vicioso no qual níveis mais baixos de raiva e paranoia nos ajudam a tomar decisões melhores, o que, por sua vez, traria mais felicidade.

Também havia benefícios egoístas demais para o gosto do Dalai Lama. Por exemplo, ser uma pessoa legal era uma ótima ferramenta de manipulação. Descobri que é bem simples conquistar as pessoas, especialmente em situações tensas, se você for capaz de se colocar na perspectiva delas e mostrar que entende o que sentem. E quando gostam de você, é bem mais provável que lhe façam favores. Era estranho ouvir agora os colegas se referindo a mim como um dos jornalistas mais "fáceis" da emissora. Era como se meus velhos tempos tivessem sido apagados. Como se aquele eu que havia jogado papéis para cima num acesso de fúria tivesse sido esquecido.

Minha nova política de compaixão esbarrou num grande desafio. Por um motivo que jamais vou compreender, o *GMA* me pediu que entrevistasse Paris Hilton sobre seu novo reality show e a prisão recente de um homem que a perseguia. Eu não sabia quase nada sobre ela, além do óbvio: a fortuna da família com a rede de hotéis, a voz infantil, o vídeo de sexo que vazou na internet, o recalque por causa da fama de sua ex-amiga Kim Kardashian. Quando cheguei à mansão de Hilton, aguardei enquanto a estrela se aprontava em seu quarto. A casa parecia um showroom de decoração, e não um lar. Em cada parede havia fotografias e pinturas com ela como modelo. Até as almofadas tinham a cara dela. Mas apreciei seu amor pelos animais – havia montes deles espalhados pela propriedade. Dezessete ao todo.

Paris apareceu saltitante, vestindo um short preto elegante e uma blusa preta transparente. Havia algo nela que me deixou pouco à vontade. Talvez fosse porque eu não estava acostumado a entrevistar celebridades. Talvez porque ela me olhasse como se eu fosse insignificante. Talvez porque nosso trabalho fosse constantemente interrompido por gatos que passavam na frente da câmera.

A entrevista começou razoavelmente bem. Conversamos sobre o programa dela na TV e o homem preso, conforme combinado. Descobri que, apesar de fazer o gênero tolinha para o público, ela administrava um negócio gigantesco com lojas em 39 países, vendendo desde bolsas até perfumes. Quando não estava diante das câmeras, seu tom de voz descia uma oitava.

Depois de cobrir os tópicos necessários, decidi que era hora de abordar as questões difíceis.

– Você se preocupa com o fato de que as pessoas que seguiram seus passos, como Kim Kardashian, estão fazendo mais sucesso do que você agora?

Enquanto eu fazia a pergunta, vi uma expressão no rosto dela que dizia *Aonde ele quer chegar com isso?*. Mas ela apenas respondeu, confiante:

– Não, de jeito nenhum.

– A audiência do seu programa está baixa. Isso deixa você chateada?

Ainda mantendo a compostura:

– Não.

Aí vim com a pergunta mais dura:

– Você às vezes se pergunta se o seu momento já passou?

Ela parou, olhou para sua assessora de imprensa e riu com desdém. Então se levantou e encerrou a conversa.

Em telejornalismo, um entrevistado sair furioso no meio da conversa é algo que as emissoras adoram. Mas nesse caso foi diferente. Hilton não arrancou o microfone da lapela quando se afastou gritando obscenidades. Eu sabia que, para o bem ou para o mal, aquele era um registro memorável.

Ela e sua equipe também sabiam. O que se seguiu foi uma longa e tensa negociação.

A assessora chegou a tentar, pelas minhas costas, convencer o cameraman a lhe entregar a fita da gravação, mas ele recusou. A própria Paris exigiu que não usássemos o material no programa. Ela não parecia entender que eu era um repórter, e não seu assistente.

De fato, a decisão sobre levar ou não a entrevista ao ar não estava em minhas mãos. Ia depender dos meus editores. No voo de volta para casa, recebi um pedido dos produtores: que eu escrevesse duas versões para a matéria, a "versão segura" e a "opção nuclear".

A escolhida foi a opção nuclear. Nas chamadas de abertura do programa, eles passaram o trecho em que Hilton abandonava a entrevista. E também mostravam essa cena antes de cada intervalo comercial, para manter os telespectadores ansiosos para assistir à entrevista toda. Todos estavam entusiasmados. Saí do estúdio me sentindo razoavelmente bem.

No dia seguinte, a matéria tinha se tornado viral. Todos os programas de entretenimento exibiram a entrevista.

Embora fosse ridículo em milhares de níveis, esse incidente levantou algumas dúvidas sérias sobre a minha política de compaixão. Teria eu cometido uma violação gravíssima? Afinal, ao planejar aquela pergunta, eu sabia que Paris poderia se retirar. No fundo, estava até esperando que isso acontecesse. Mas será que fui grosseiro com ela? Tentei me tranquilizar dizendo que ela era uma figura pública e que seu declínio já estava na boca do povo. Mas não consegui me convencer totalmente disso.

Havia uma questão ainda maior por trás dessa história: seria o jornalismo – ou qualquer outra profissão competitiva – incompatível com a metta? Meu trabalho exigia que eu fizesse perguntas rudes – e isso não era muito bondoso.

Minha dúvida sobre essa incompatibilidade estava prestes a ganhar um destaque imenso na minha vida. Depois de insistir que o budismo não fazia as pessoas perderem a competitividade, eu iria cair na minha própria armadilha.

Capítulo 11
Esconda o zen

Quando o e-mail chegou, eu estava no lobby ornamentado do Hotel Intercontinental de Nova Déli. Era final de 2010 e eu estava na Índia fazendo uma reportagem investigativa sobre médicos charlatões inescrupulosos.

A emissora havia acabado de anunciar quem substituiria David Westin. O nome do meu novo chefe era Ben Sherwood. Nós nos conhecíamos havia muito tempo. Ele estava na sala de edição quando tive o meu primeiro ataque de pânico no ar e me dera todo o apoio. Ao receber a notícia de sua promoção, comecei a calcular o significado disso para o meu futuro. Sempre tivemos um bom relacionamento, embora ele já tivesse sido alvo dos meus ataques, na época em que eu era propenso a essas coisas.

Ben era uma espécie incomum no ecossistema do telejornalismo, tanto em termos de pedigree quanto de personalidade. Nas horas vagas, ele escrevia livros. Era alto, cheio de energia e capaz de ser tanto honesto quanto sarcástico.

Eu não sabia ainda, mas a chegada de Ben precipitaria uma crise profissional para mim.

Ben começou no cargo algumas semanas depois. No início, as coisas estavam indo bem entre nós. Ele me enviou e-mails elogiosos, me mandou fazer coberturas bacanas. Logo ficou claro que seria um chefe envolvido com o meu dia a dia.

Os e-mails de Ben chegavam a qualquer momento. Parecia que o homem não dormia. Nada parecia escapar de sua atenção. Era ao mesmo tempo assustador e revigorante ter um líder que conhecia o seu trabalho tão bem quanto você.

Decidi não ficar em cima dele. Não me esforcei para produzir matérias que lhe chamassem a atenção nem tentava impressioná--lo de alguma forma. Meus motivos eram confusos até para mim. Talvez eu achasse que não seria de bom tom – afinal, eu era um cara que estava andando com o Dalai Lama, certo? Achei que Ben me conhecia e que, por isso, eu estaria seguro. Eu parecia ter substituído meu chicote interno por uma nova e crescente passividade.

Rapidamente minha estratégia – ou falta dela – saiu pela culatra. Quando explodiram no Egito as manifestações contra o ditador Hosni Mubarak, Ben inundou a região com equipes da ABC News. Aquele era o tipo de coisa que sempre tive vontade de cobrir. No passado, eu seria o primeiro jornalista a ser mandado para lá, mas dessa vez fui obrigado a assistir à cobertura do meu sofá. Meu velho eu teria dado telefonemas impulsivos e desaforados. Mas o novo eu, o metta-meditador, achou que essa abordagem – pedir à chefia que me enviasse em vez de dar chance aos meus colegas – era falta de compaixão.

Enquanto ponderava sobre esse dilema, a situação foi piorando. Quando um terremoto seguido de tsunami atingiu o Japão, Ben mandou outros repórteres. Mais uma vez, vi as cenas devastadoras pela TV da minha casa. Minha mulher se afogava em lágrimas enquanto este recente faixa marrom da bondade amorosa se sentia mal tanto pelas vítimas quanto por si mesmo.

Pouco tempo depois da chegada de Ben, fui (com alguma relutância) para um retiro de meditação metta. Sharon Salzberg, uma juBu da velha escola e agora minha nova amiga, havia me convidado meses antes. Foi um convite gentil que aceitei na hora, mas, devido aos desdobramentos recentes na emissora, eu não estava com muita vontade de ir. Mesmo assim, dirigi quatro horas até lá para então aguentar três dias de esforço para gerar boas vibrações.

Sharon deu uma palestra sobre mudita, o termo budista para a alegria pela felicidade dos outros, o que foi bem oportuno para mim. Ela admitiu que às vezes seu primeiro instinto quando tentava alegrar-se pelo sucesso alheio era: "Argh, eu preferia que as coisas não fossem tão perfeitas para você." Todos na sala caíram na gargalhada. Sharon disse que o maior obstáculo para sentir mudita é a ilusão subconsciente de que qualquer sucesso que a outra pessoa atingiu era algo que na verdade deveria ter acontecido conosco: "É quase como pensar que aquilo estava vindo bem na minha direção, aí você entrou na frente e agarrou tudo para si." Mais risadas, enquanto todos se deliciavam com uma das melhores iguarias do darma: um diagnóstico preciso de nossa insanidade interior.

No segundo dia, vi um bilhete com o meu nome no mural de mensagens no corredor principal. Sharon queria me ver naquela tarde. Fui recebido com um abraço caloroso. Durante a conversa, mencionei que estava meio preocupado com o trabalho; descrevi meu receio de ter me tornado um daqueles jogadores que não saem do banco de reservas.

– Quando enfrentamos algo assim – comentou ela –, muitas vezes não é o desconhecido que nos assusta, e sim aquilo que pensamos que vai acontecer; e sempre achamos que vai ser algo ruim. Mas a verdade é que nós não temos mesmo como saber.

A melhor estratégia, ela disse, seria direcionar a situação para meu benefício interior.

– O medo da aniquilação pode levar a grandes descobertas,

pois nos lembra da impermanência e do fato de que não temos controle sobre a vida – concluiu.

Isso me fez pensar na "sabedoria da insegurança". No conforto daquele idílio silvestre, percebi que a "segurança" que eu tanto buscava era uma ilusão. Se tudo neste mundo estava em constante decomposição, por que gastar tanta energia rangendo os dentes por causa de trabalho?

Comecei a analisar de onde vinha minha obsessão pela carreira. Seria enraizada nas minhas criação e educação privilegiada? Seria uma atitude comum das "pessoas como eu"? Seria porque cresci com a sensação de que me faltavam coisas?

Mas abandonei essa linha de raciocínio rapidamente. O Buda nunca disse que era errado lutar pelo sucesso. Bem ali em seu Nobre Caminho Óctuplo, a lista de oito práticas necessárias para se chegar à iluminação, o "Meio de Vida Correto" era o número cinco. Ele tinha orgulho do que construiu, incluindo seus fiéis monges e monjas. Também não era particularmente modesto: era um homem que se referia constantemente a si mesmo na terceira pessoa.

Ali estava eu, dois anos e meio depois de ter descoberto Eckhart Tolle e ainda me debatendo com a mesma questão: seria possível atingir um equilíbrio entre o "preço da segurança" e a "sabedoria da insegurança"?

De volta ao trabalho, o meu "desprestígio profissional" permanecia. O ano de 2011 teve imensas oportunidades para jornalistas: a morte de Osama bin Laden, a queda de Kadafi na Líbia, o casamento real de William e Kate; e eu não fui chamado para cobrir nada daquilo. (Esse último caiu na categoria do "Eu não queria fazer, mas gostaria de ter sido chamado mesmo assim".)

Às vezes, conseguia convencer a mim mesmo de que estava lidando bem com a situação. E, quando começava a me chatear, mudava o rumo dos pensamentos. Eu usava o método RAIN – observando como os sentimentos se manifestavam em meu corpo e depois rotulando-os com certo grau de imparcialidade.

Também pensei, com um certo orgulho de mim mesmo, que ter a mente mais calma e mais compassiva estava me permitindo analisar melhor a situação, despido de emoções nocivas. Em vez de levar para o lado pessoal, tentei ver a coisa toda pelos olhos de Ben. Ele apenas estava fazendo o melhor que podia para aprimorar o desempenho da equipe. Talvez não fosse muito meu fã. Eu me consolava com a conclusão de que estava reconhecendo a realidade, o que levava a menos aborrecimentos desnecessários e mais sabedoria na tomada de decisões.

Minha esposa achava que eu estava sendo meio covarde. Embora estivesse satisfeita por causa da minha calma, ela estranhava o fato de eu parecer tão impotente. Quando surgia algum grande acontecimento jornalístico, Bianca me incentivava a mostrar que eu merecia ser lembrado. Trocávamos mensagens mais ou menos assim:

Eu: "Acho que ainda não tenho um bom método para me afirmar nessas situações sem voltar a ser o canalha de antigamente."

Bianca: "Entendo. Mas você não vai arriscar nada sendo apenas um pouco mais agressivo em vez de ficar só como um membro da equipe, passivamente disponível."

Eu sabia que ela não estava me criticando, mas fiquei na defensiva. Estava me esforçando para não direcionar minha frustração para o lado errado, para a pessoa que mais queria me ajudar. Meu maior desejo era enfiar a cabeça na areia e esperar que os problemas fossem embora. Simplesmente não conseguia imaginar qual era a jogada certa.

Naquele ponto, os e-mails simpáticos de Ben não chegavam

mais – porque eu também não estava fazendo nada para merecê--los. Além de não ser mais chamado para cobrir as grandes reportagens, em algum momento perdi a motivação para sugerir pautas interessantes e produzir reportagens investigativas, minha antiga especialidade. Nas reuniões matinais, Ben elogiava as pessoas e eu queria muito fazer algum trabalho que recebesse aquela reação. Mas quanto mais desencorajado me sentia, mais dificuldade eu tinha de vencer a inércia.

Após meses à deriva, em julho de 2011 finalmente decidi agir.

Escrevi um e-mail para Ben pedindo para marcar uma conversa com ele e dias depois estava em seu escritório, pronto para saber se haveria um jeito de consertar tudo aquilo.

Imaginei que ele deveria estar esperando que eu chegasse com uma lista de reclamações, então decidi tomar um rumo diferente.

– Tenho a impressão de que você não me vê como parte de seu time principal e gostaria de saber como eu posso mudar a sua opinião – falei.

A resposta de Ben foi sensacional. Eu praticamente podia ver as rodas girando na cabeça dele enquanto ele calibrava sua abordagem. Após cerca de cinco segundos de preparação, ele disparou seu discurso:

– Em primeiro lugar, você está errado. Eu vejo você como um dos jogadores principais, sim.

Mas, continuou, havia alguns problemas reais que eu deveria corrigir. O mais importante: eu não estava me esforçando.

– Acho que você caiu naquela armadilha clássica do âncora de fim de semana, em que tem aquele seu tempinho no ar aos sábados e domingos e no resto da semana ninguém sabe onde você está – disse ele. Essa era uma verdade inquestionável. – Você precisa mostrar mais vontade e mais trabalho.

O segundo problema era o próprio *GMA*. Frequentemente o programa saía dos trilhos, com a conversa entre os âncoras resvalando para mera brincadeira. Ele disse que eu precisava ter um papel maior em controlar essa tendência.

– Você precisa ser o cara que lidera – falou.

Quando protestei humildemente, alegando que não queria ser autoritário com meus colegas, Ben – sabendo que eu praticava meditação – me olhou direto nos olhos e declarou, num tom que era ao mesmo tempo brincalhão e sério:

– Pare de ser tão zen!

Em poucos minutos ele havia apontado e expressado meus erros. Eu havia ido tão longe no caminho da resignação e da passividade que havia comprometido a carreira que trabalhara tantos anos para construir. Diante daquela adversidade, eu deveria ter arregaçado as mangas e trabalhado ainda mais. Em vez disso, confundi "desapego" com amolecimento.

Foi a reunião profissional mais dura e produtiva que já tive desde que meu chefe em Boston me disse que eu estava sendo um babaca insuportável. Com a diferença que agora, ironicamente, o problema era quase o oposto.

Por uma feliz coincidência, na mesma noite da minha conversa com Ben eu havia marcado um jantar com Mark Epstein num restaurante japonês. Depois de fazermos nossos pedidos, contei a ele minha conversa com Ben. Ele respondeu com uma sugestão que parecia um slogan: "Esconda o zen".

– As pessoas irão tirar vantagem se começarem a achar que você está zen demais – afirmou. – Há um certo tipo de agressão no comportamento organizacional que não valoriza isso, que será visto como fraqueza. Se você se apresentar sempre dessa maneira, muita gente não vai levá-lo a sério. Por isso acho importante esconder o zen e deixar que pensem que você é alguém que devem respeitar.

Mas eu já estava muito apegado à minha reputação de cara zen.

– Eu não quero ser uma pessoa ruim no trabalho.

– Tenho certeza de que existe uma forma de fazer isso sem se tornar um canalha. Acho que é possível dar a aparência de ser mais competitivo no trabalho enquanto continua sendo uma pessoa boa.

Eu caí, segundo Mark, numa das típicas "armadilhas do caminho". As pessoas muitas vezes interpretam incorretamente o darma, acreditando que precisam adotar uma postura fraca e submissa. Mark lembrou de cenas de sua juventude, quando ele e seus companheiros de meditação saíam para jantar e ninguém tomava a iniciativa de fazer o pedido ao garçom: eles não queriam expressar uma preferência pessoal, achando que isso não seria budista o suficiente. Outra armadilha era se desligar demais de tudo. Pensei que estava consciente do meu desgosto por ser deixado de fora das grandes coberturas, quando na verdade estava construindo um muro para me proteger das coisas que me deixavam com raiva ou medo. E a armadilha final à qual sucumbi foi o niilismo: uma sensação de "Dane-se, nada importa, tudo é impermanente".

Naquele momento, o garçom chegou com nossos pratos, dando uma longuíssima descrição do que havia nos servido. Enquanto ele discorria sobre a abóbora kabocha e "fatias largas e translúcidas de nabo daikon", a natureza dos meus equívocos ganhou uma enorme clareza. Os muçulmanos sufi dizem: "É preciso louvar a Alá, mas também é necessário amarrar seu camelo no poste." Em outras palavras, é bom ter uma visão transcendente do mundo, mas não seja um otário.

Quando o garçom deixou a nossa mesa, eu disse:

– Isso é uma tremenda lição de humildade para mim.

Mark, sempre disposto a ver as coisas por um prisma positivo, retrucou:

– Acho que é como uma revolução na sua forma de compreender os ensinamentos; um entendimento mais profundo, que torna o budismo algo muito mais vivo.

– Certo, certo – respondi. – Porque, quando tudo está indo bem e você está consciente de tudo, é bem mais fácil.

– Sim, é fácil. Esse é mesmo um grande dilema.

Esse era o dilema em que eu estava fixado havia anos – manter o equilíbrio entre os princípios budistas e a ambição. Reclamei que era frustrante ainda não ter encontrado a resposta depois de tanto tempo. Enquanto estava ali, sentindo pena de mim mesmo, acabei não prestando atenção quando Mark falou que tinha uma resposta para isso. Era um conselho simples e brilhante, mas eu estava absorto demais em minhas preocupações para escutá-lo.

As coisas finalmente começaram a melhorar no trabalho. No topo da lista de tarefas que eu mantinha no celular, escrevi o comando de Ben: "MOSTRE MAIS VONTADE E MAIS TRABALHO" e "SEJA O CARA QUE LIDERA". Nunca fui o tipo de pessoa que usa slogans de inspiração, mas ler aquelas frases toda vez que checava minha lista era bastante útil.

Comecei a dizer sim para todos os pedidos de reportagem que me faziam na emissora, mesmo os menores – da mesma maneira que fazia quando era novato. Isso foi notado. Apenas três dias depois da minha conversa com Ben, ele começou a me mandar e-mails de novo.

Era gratificante agradá-lo. Quando ele elogiava meu trabalho nas reuniões das manhãs, meu peito inflava mais do que eu gostaria de admitir.

Voltei a sugerir reportagens especiais e fiz várias coberturas interessantes. Mas a matéria da qual mais me orgulhei exigiu que eu passasse dois dias trancado numa cela solitária. A ideia era chamar atenção para o debate crescente sobre esse tipo de encarceramento ser equivalente a tortura. A direção de uma penitenciária permitiu que eu ficasse preso numa cela cheia de câmeras. Durante aquele tempo, tive que suportar o tédio, a péssima comida, a claustrofobia e os gritos constantes dos meus vizinhos nas outras solitárias, muitos deles sofrendo ataques de nervos. Acordei na primeira manhã com uivos animalescos do preso na cela logo no andar debaixo da minha. Gritou durante horas. Outros estavam gritando só para desabafar e passar o tempo.

O tempo que passei ali foi importante para reconhecer mais uma vez as limitações da meditação – ou, ao menos, os limites da minha habilidade nessa prática. Antes de entrar na cela pensei que poderia ficar meditando na maior parte do tempo, mas o barulho e a falta de privacidade – com câmeras por todos os lados e os guardas espiando dentro das celas toda hora – tornaram isso quase impossível.

Nessa fase de trabalho intenso, quando tinha menos tempo para dormir, me exercitar e meditar, eu podia sentir meu monólogo interior ficando mais nervoso também – e não conseguia reunir forças para lutar contra aquela voz dentro da minha cabeça. *Eu estava com cara de cansado no programa de hoje. Meu cabelo está feio. Não acredito que um cara no Facebook comentou que eu era um "tremendo palhaço".* O ego, aquele filho da mãe insidioso, usava a fadiga como uma oportunidade para ultrapassar minhas defesas enfraquecidas.

O aumento no número de matérias que eu estava fazendo pode ter criado dificuldades na minha meditação, mas valeu a pena. E essa não foi a única área que melhorou na minha carreira.

Eu também estava progredindo como âncora do *GMA* de fim de semana.

Essa mudança para melhor começou numa manhã depois do programa, quando Bianca me encontrou sentado no sofá de casa assistindo a alguns momentos meus no ar de que eu não havia gostado. Ela tirou o controle remoto da minha mão e iniciou uma análise do meu desempenho. Os cumprimentos entre os âncoras haviam começado bem; eu estava sorrindo e brincando com os outros apresentadores. Logo nos primeiros segundos do programa, Paula Faris fez uma piadinha. Nesse ponto, Bianca apertou a pausa no controle remoto.

– Olhe o que acontece aqui. Você fica tenso. Dá para perceber direitinho – disse ela. Era verdade. A tirada de Paula deve ter me desviado do plano que eu criara na cabeça para aquele momento e eu fiquei duro e artificial. – Você tem que parar de se preocupar tanto a ponto de acabar parecendo forçado. Relaxe e desapegue.

Era delicioso ouvir minha esposa jogar essa terminologia budista na minha cara. Especialmente porque ela não poderia estar mais certa. Eu precisava agir como meditava. Se pudesse relaxar e estar presente o bastante para escutar o que os outros diziam, eu iria até melhorar nossa camaradagem natural no ar.

Quase de imediato, o conselho de Bianca começou a funcionar. Eu me via muito menos preocupado em seguir um plano e mais concentrado em apenas estar lá, de bom humor, pronto para fazer um comentário ácido – ou igualmente preparado para reagir às piadas dos outros com um riso genuíno. Comecei a entender que quando Ben me dissera para ser "o cara que lidera", ele não me pedira para ser um canalha, mas apenas ser autoconfiante.

Embora as coisas estivessem correndo bem, nem tudo era um mar de rosas. Os e-mails elogiosos de Ben eram contrabalançados por outros contendo críticas extremamente precisas. Além disso, eu ainda ficava de fora de algumas coberturas importantes, como o décimo aniversário dos atentados de 11 de setembro, um acontecimento que havia sido decisivo na minha vida pessoal e profissional. Essa exclusão quase me mandou de volta para o porão emocional. Era claro que ainda faltava algo para aprimorar minha estratégia.

Naquele jantar com Mark no restaurante japonês, eu havia colocado meu celular próximo dele na mesa, a fim de gravar o que ele dizia para me lembrar de seus conselhos no futuro. Na gravação daquela noite, eu me ouvi lamentando o fato de que, após anos contemplando a dificuldade de encontrar equilíbrio entre ambição e tranquilidade, ainda não havia encontrado uma resposta. Então Mark, com seu jeito sutil, me respondeu que tinha a solução:

– A resposta está no desapego. Não se prenda aos resultados. Acho que para uma pessoa ambiciosa que se importa com sua carreira, ou seja, que deseja criar coisas e ter sucesso, é natural lutar muito pelo que se quer. Então o budismo entra na hora dos resultados, porque nem sempre as coisas acontecem como você acha que deveriam.

Agora, ao pensar nesse conselho de Mark, suspeitei que talvez ele tivesse razão, mas eu não conseguia entender como alguém podia se matar de trabalhar e não se prender aos resultados. Sempre trabalhei num sistema que venera os vencedores por esforço próprio. Fazer isso com desapego não parecia se encaixar no paradigma.

Alguns meses depois, encontrei Mark novamente e voltei ao assunto:

– Da última vez, você falou que não havia problema em ser ambicioso, mas que não devemos nos apegar aos resultados. Eu o interrompi, como sempre... mas o que você realmente quis dizer com isso?

– É mais ou menos como quando alguém escreve um livro e quer que seja bem recebido, que entre na lista dos mais vendidos, mas ninguém tem controle sobre o que vai acontecer. Você pode contratar um assessor de imprensa e conseguir um monte de entrevistas, você pode se preparar, mas terá pouquíssimo controle sobre o mercado. Então só resta lançar a sua obra sem apego, para que ela ganhe vida própria. Tudo no mundo é assim.

Por um minuto, achei que ele estava sendo simplista, dando uma versão dos conselhos genéricos e despreocupados que pais costumam dar aos filhos.

– Quando eu era criança – falei – e ficava com medo de me sair mal em algum jogo de futebol ou coisa do tipo, meus pais apenas diziam "Faça o melhor que você puder". É basicamente o que você está me dizendo.

– Sim – Mark respondeu, no tom mais sarcástico que ele era capaz de assumir. – Você pode dar o melhor de si e então, se as coisas não saírem do jeito que você queria, vai acabar furioso de uma forma pouco construtiva, prejudicando sua habilidade de se recuperar. Abandonar o apego é a verdadeira solução.

Então algo se encaixou para mim. Para variar, o conselho de Mark era sólido, mesmo que eu levasse algum tempo para absorvê-lo. Tudo bem lutar para conseguir o que se quer, contanto que isso seja temperado pela compreensão de que o resultado de seus esforços está fora de seu controle. Se você não gastar energia nas variáveis que não pode influenciar, terá como concentrar suas forças nas coisas que pode controlar. Quando você é ambicioso de forma sábia, faz o possível para obter sucesso, mas não se apega aos resultados – portanto, se fracassar, você conseguirá se reerguer e dar a volta por cima. E isso, perdoe-me o uso do termo, é uma forma de ser iluminado em interesse próprio.

Essa era uma perspectiva realmente otimista. Eu não precisava perder tanto tempo imaginando alguma coisa vagamente horrorosa me aguardando no futuro. Tudo que precisava fazer era dizer a mim mesmo: se não der certo, só vou precisar da coragem de começar de novo – assim como acontecia quando minha mente se distraía durante a meditação. Após anos estabelecendo uma falsa dicotomia entre a luta e a serenidade, incapaz de entender como equilibrar esses impulsos aparentemente contraditórios, eu finalmente entendi que essa frase desajeitada sobre o "desapego aos resultados" era o Santo Graal que eu buscava havia tanto tempo. Era o caminho do meio, o casamento do "preço da segurança" com a "sabedoria da insegurança".

Era a última peça do quebra-cabeça que eu tentava resolver desde o início dessa aventura não planejada. Aquele tempo todo, eu havia buscado uma espécie de estrutura esquemática, uma resposta holística para um dos desafios centrais do meditador moderno: como ser uma pessoa melhor e mais feliz sem se tornar inepto? Os livros e os mestres que consultara já haviam realizado o trabalho mais importante: reorientar minha vida interior ao suavizar as tendências nefastas da minha mente e regular o meu circuito interno de compaixão. Aquela área foi onde eles não ajudaram.

Já que os budistas estavam sempre criando listas (estava convencido de que em algum lugar eles tinham uma lista das Melhores Maneiras de se Fazer uma Lista), resolvi criar a minha também. Nada do que compilei era surpreendentemente brilhante. Há uma razão para chamarem o budismo de "senso comum avançado": trata-se de confrontar metodicamente as verdades óbvias porém ignoradas (tudo muda, nada satisfaz) até que algo em você se transforme.

Brinquei com os títulos por algum tempo (Os Dez Pilares do Zen Competitivo foi uma das ideias), mas depois ouvi falar do código milenar dos samurais, "O Caminho do Guerreiro", e decidi criar uma versão para o samurai corporativo.

O Caminho do Meditador Preocupado

1. Não seja um canalha
2. (E/Mas) quando necessário, esconda o zen.
3. Medite
4. O preço da segurança é a insegurança – até isso não ser mais útil
5. Tranquilidade não é inimiga da criatividade
6. Não force a barra
7. Humildade previne humilhação
8. Devagar com seu chicote interior
9. Desapego aos resultados
10. O que é mais importante?

Não seja um canalha

Claro que é comum pessoas serem bem-sucedidas apesar de tratar mal os outros. Conheci muita gente assim ao longo de minha carreira, mas elas nunca pareciam ser realmente felizes. Às vezes as pessoas pensam que o sucesso numa profissão competitiva requer o oposto de compaixão. Mas, na minha experiência, o temperamento explosivo apenas reduzia minha clareza e efetividade, me levando a tomar decisões precipitadas. O círculo virtuoso que Joseph descreveu (mais metta, melhores decisões, mais felicidade e assim por diante) é real. A compaixão tem o benefício estratégico de conquistar mais aliados. E ainda torna você uma pessoa muito mais feliz e realizada.

(E/Mas) quando necessário, esconda o zen
Seja bonzinho, mas não se torne um saco de pancadas. Embora eu tivesse atingido um grau de liberdade em relação ao meu ego, ainda precisava operar num contexto profissional bem estressante. Às vezes é preciso competir agressivamente, mostrar que você merece algo mais, ou mesmo ter algumas conversas duras. Não é fácil, mas é possível fazer isso com tranquilidade e sem levar para o lado pessoal.

Medite
A meditação é o superpoder que torna todos os outros preceitos possíveis. A prática traz benefícios incontáveis – desde a saúde melhor até mais foco e uma sensação de calma profunda –, mas o melhor deles é o desenvolvimento da habilidade de responder em vez de reagir a seus impulsos e desejos. Vivemos em grande parte impelidos por desejo e aversão. Na meditação, em vez de sucumbir a esses hábitos arraigados na mente, você apenas observa o que vem à sua cabeça.

O preço da segurança é a insegurança – até isso não ser mais útil
A atenção plena demonstrou ser para mim um grande debulhador mental, separando o joio do trigo na hora de saber quando valia a pena eu me preocupar com alguma coisa ou quando era inútil fazer isso. Vigilância, diligência, capacidade de estabelecer objetivos audaciosos – todas essas são as partes boas da "insegurança". Fome e perfeccionismo também são energias poderosas a serem exploradas. Até mesmo a tão denegrida "mente comparadora" pode ser útil às vezes. Eu me comparei a Joseph, Mark e Sharon e isso me fez mais feliz. Eu me comparei

a Bianca e me tornei uma pessoa melhor. Fiz o mesmo com Bill Weir, David Muir, Chris Cuomo, David Wright e outros colegas e isso me incentivou a ser melhor profissionalmente. Do meu ponto de vista, os budistas subestimam a utilidade da angústia construtiva. Numa de suas palestras, Joseph citou um monge que disse algo como: "Não há razão para ser infeliz sobre coisas que não podemos mudar, nem razão para ser infeliz por coisas que podemos mudar." Para mim, isso ignorava a grande área cinzenta do meio-termo, onde vale a pena ficar pelo menos um pouco grilado.

Tranquilidade não é inimiga da criatividade
Ser mais feliz não me tornou um zumbi. Esse mito está arraigado desde o tempo de Aristóteles, que disse: "Todos os homens que atingiram a excelência em filosofia, poesia, arte e política [...] tinham uma predisposição à melancolia." Percebi que, em vez de me transformar numa pessoa sem graça, sem problemas, a meditação me tornou "um conhecedor das minhas neuroses", como um proeminente mestre espiritual disse certa vez. Uma das descobertas mais interessantes de toda essa jornada foi que eu não precisava dos meus demônios para me impulsionar – e que domá-los era um exercício muito mais gratificante do que ser dominado por eles. Jon Kabat-Zinn teorizou que a ciência poderá um dia provar que a meditação realmente torna as pessoas mais criativas ao eliminar as ruminações rotineiras e as conclusões precipitadas, dando espaço para pensamentos inovadores. Nos retiros, por exemplo, eu me sentia inundado por ideias, enchendo cadernos com elas ou escrevendo-as em folhas de papel entre sessões de meditação sentada e caminhando. Quem sabe Van Gogh teria sido um pintor ainda melhor se não tivesse sido tão infeliz a ponto de cortar a própria orelha?

Não force a barra
É difícil abrir a tampa de um pote quando todos os músculos do seu braço estão retesados. Relaxar um pouco me serviu muito bem no set do *GMA*, nas interações pessoais e nos momentos em que escrevia minhas matérias. Comecei a perceber os benefícios das pausas com propósito e a aceitar a ambiguidade. Nem sempre funcionava, claro, mas era melhor do que minha antiga técnica de passar por cima como um trator para obter uma resposta.

Humildade previne humilhação
Nós somos os astros dos filmes das nossas vidas, mas reduzir o número de pensamentos no estilo "Você sabe com quem está falando?" tornou a minha vida muito mais fácil. Quando você não bate o pé nem deixa seu ego manipulá-lo, é possível lidar com as situações complicadas de uma forma bem mais tranquila. Para mim, a humildade foi um alívio, o oposto da humilhação. Aparou as arestas da mente comparadora. Atingir esse equilíbrio é delicado; é preciso tomar cuidado para não levar a humildade longe demais e se tornar passivo. (Veja o preceito número 2, sobre esconder o zen.)

Devagar com seu chicote interior
Como parte do meu lema do "preço da segurança", eu havia presumido que a única rota para o sucesso é a autocrítica severa. No entanto, pesquisas mostram que ser "firme, mas gentil" é a melhor estratégia. As pessoas treinadas em meditação para autocompaixão têm mais chances de parar de fumar e de não abandonar a dieta. São mais capazes de se recuperar de seus erros. Todas as pessoas bem-sucedidas têm seus fracassos. Se você criar um ambiente interior onde seus erros são perdoados e seus defeitos

são encarados com sinceridade, sua capacidade de se recuperar aumenta exponencialmente.

Desapego aos resultados
Desapego aos resultados + autocompaixão = flexibilidade e resistência emocional sem precedentes. Lute, jogue para vencer, mas não adote a posição fetal se as coisas não acontecerem do jeito que você esperava. Acredito que era isso que T. S. Eliot quis dizer quando falou sobre aprender a "se importar e a não se importar".

O que é mais importante?
Um dia, almoçando com Mark e Joseph, obriguei-os a me ajudar a entender como atingir o equilíbrio entre ambição e tranquilidade. Entre o prato principal e a sobremesa, Joseph se levantou para ir ao banheiro. Ele voltou sorrindo e declarou: "Descobri a resposta. Um mantra útil nesses momentos é se perguntar 'O que é mais importante?'" Inicialmente, essa resposta me pareceu genérica, mas, quando refleti mais sobre essa ideia, ela acabou emergindo como um conceito fundamental para nos ajudar a tomar decisões. Aprendi a perguntar a mim mesmo, quando me preocupo com o futuro: "O que eu quero realmente?" Embora ainda amasse o sucesso, descobri que havia um limite para o sofrimento que estava disposto a enfrentar. O que eu realmente queria foi resumido durante uma entrevista que fiz com Robert Schneider, vocalista do grupo Apples in Stereo. Ele parecia ser uma das pessoas mais felizes que já conheci: falando constantemente, sempre em movimento, irradiando curiosidade e entusiasmo. No final da entrevista, ele disse: "A coisa mais importante para mim é, provavelmente, ser uma pessoa boa e também tentar fazer algo incrível."

Apresentei minha lista a Bianca, todo orgulhoso. Ela apenas deu um sorriso maroto e disse:

– Mas você não está realmente praticando essas coisas. – Ela estava se referindo especificamente ao primeiro item, sobre não ser um canalha.

– Essa lista é algo a se aspirar, não necessariamente as coisas que já estou fazendo – justifiquei-me.

Embora aplicados de forma imperfeita, meus preceitos já estavam gerando efeitos reais no meu trabalho. Nove meses depois daquela primeira reunião com Ben, pedi uma reunião com ele novamente – dessa vez, para perguntar sobre algo que eu pretendia colocar neste livro, que já havia começado a escrever na época. Queria me certificar de que ele não acharia ruim eu revelar meu passado como usuário de drogas. Era a primeira vez que eu contava a alguém da chefia a verdadeira razão por trás do meus ataques de pânico. Discutimos os prós e os contras de eu confessar aquilo publicamente. No fim, ele disse que iria me apoiar, qualquer que fosse a minha decisão.

Então, sem que eu o lembrasse, Ben evocou os dois mantras que havia criado para mim na nossa primeira reunião e declarou que eu conseguira, na opinião dele, ter sucesso tanto em "mostrar mais vontade e mais trabalho" quanto em me tornar "o cara que lidera". Para compensar o elogio, ele também observou que, embora tivesse gostado da minha última reportagem no *Nightline*, ele achara que eu não tinha me barbeado direito naquele dia.

Epílogo

Ao terminar de escrever este livro, no outono de 2013, já se passaram cinco anos desde que li pela primeira vez Eckhart Tolle, quatro anos desde que comecei a meditar e mais de dois anos desde que tive aquela reunião transformadora com Ben Sherwood.

Três eventos significativos aconteceram desde o final do capítulo anterior: uma mudança de opinião, uma promoção e um "momento de clareza".

Vamos começar pelo episódio que me fez pensar diferente. Para minha profunda surpresa, reverti minhas ideias sobre a iluminação. Durante minhas explorações pela atenção plena, ouvi falar de um grupo de neurocientistas que estava tomando uma audaciosa posição em público. Ao contrário de seus predecessores que, como Jon Kabat-Zinn, fizeram o possível para se distanciar do budismo tradicional, esses rapazes estavam escancaradamente interessados na "libertação", e não apenas na redução do estresse. Eles estavam realizando ressonância magnética funcional em praticantes avançados de meditação. Embora não fosse possível provar, por meio de algum sinal no cérebro, que a iluminação era real, esses cientistas queriam ver o que descobririam mesmo assim.

Fiquei intrigado. No decorrer de sua pesquisa, o Dr. Jud Brewer inventou algo potencialmente revolucionário: um mecanismo de neurofeedback em tempo real que permitia que praticantes de meditação vissem quando estavam desligando o modo padrão de seus cérebros (DMN), as chamadas "regiões do eu" que ficam ativas durante a maior parte das nossas horas despertas. A partir do tubo estreito do aparelho de ressonância, o meditador podia ver um pequeno monitor de computador. Quando o DMN era desativado, a tela ficava azul. Quando o ego estava tagarelando, a tela ficava vermelha. Em resumo, a invenção de Jud era capaz de dizer às pessoas se elas estavam meditando corretamente. Aquela tecnologia poderia ensinar qualquer um a meditar tão bem que não seria necessário perder tempo praticando incorretamente. Assim as pessoas seriam colocadas num caminho mais rápido em direção à iluminação.

Um dia, questionei Jud sobre essa noção de libertação:

– Por que eu estaria errado em pensar que a iluminação é apenas uma baboseira esquisita enfiada num programa que, fora isso, é tão útil e valioso?

Ele me explicou que o cérebro é uma máquina que busca o prazer. Uma vez que você ensine ao cérebro que residir calmamente no momento presente é melhor do que se agarrar ao passado ou ao futuro, com o tempo o cérebro vai querer mais e mais contemplação. Jud fez uma comparação com os ratos de laboratório que aprendem a evitar os choques elétricos:

– Quando você vê que existe algo melhor do que aquilo que você tem, então é apenas questão de tempo até o seu cérebro pensar "Por que diabos estou fazendo isso? Estou perdendo tempo com uma coisa ruim". Se você der ao seu cérebro um gostinho da meditação, ele criará uma espiral positiva que vai se autorrecompensando (afastando-se da ganância e do ódio), podendo levar até a eliminação definitiva de emoções negativas (em outras palavras, a iluminação). Por que isso iria parar? Em termos evolucionários, não faria sentido.

Essa foi a primeira explicação racional que escutei para a iluminação. Eu me vi concordando, espantado comigo mesmo por estar fazendo isso. Mal podia acreditar, mas estava pensando: *Será que eu deveria almejar entrar no riacho?* Talvez essa fosse outra área em que eu precisasse mostrar mais vontade e trabalhar com mais afinco?

Para ter certeza de que não estava enlouquecendo, telefonei para a pessoa mais cética que conheço, Sam Harris. Para minha surpresa, ele disse acreditar que a iluminação era real, embora usasse uma analogia diferente. Assim como é possível para humanos treinarem para ficarem rápidos e fortes o bastante para competir numa Olimpíada, podemos praticar a meditação até nos tornarmos uma versão mais sábia ou mais generosa de nós mesmos. Ele me contou que atingiu um ponto mais ou menos análogo à entrada no riacho, o estágio inicial da iluminação.

Para culminar, Sam me disse que achava perfeitamente possível algumas pessoas atingirem a iluminação de repente, sem nenhuma meditação. Ele se referia a Eckhart Tolle. "Não tenho razão alguma para duvidar da história dele", afirmou. E acrescentou que havia algo até "mais autêntico" em pessoas como Tolle, que tiveram epifanias do nada, sem qualquer treinamento formal – "porque elas não estão tirando essa ideia de outros lugares".

Essa, para mim, foi difícil de engolir. Agora talvez tivesse chegado a hora de eu me desapegar da minha implicância com Tolle. Voltei e reli o livro dele, que dera a partida em minha odisseia "espiritual". Embora o texto ainda me parecesse complexo demais, fez muito mais sentido para mim agora do que cinco anos atrás. Quando li *Um novo mundo* pela primeira vez, achei ridículo que ele tivesse prometido que seu livro "iniciaria o processo de despertar" no leitor. Agora eu tinha que admitir que, pelo menos no meu caso, aquele alemãozinho esquisito tinha uma certa razão.

Por enquanto, minha posição sobre o assunto é a seguinte: não sei se é possível uma pessoa se tornar iluminada, seja por meio da meditação ou de um despertar repentino. Sou agnóstico – mas não com a falta de curiosidade de antes. Agora compreendo que, na questão da iluminação, fiquei cego por meu próprio ceticismo. Toda a linguagem poética sobre o Buda sentado debaixo de uma árvore e atingindo "o além" havia provocado uma espécie de náusea intelectual em mim. Eu havia, em essência, invertido o dilema que as pessoas normalmente encontram em suas buscas espirituais. Eu havia fechado minha cabeça de forma prematura. Toda essa experiência me fez perceber como muitas das minhas ideias preconcebidas estavam erradas. A iluminação talvez fosse o exemplo mais recente.

Mas de uma coisa tenho certeza: tenho muito mais a fazer. Seja ou não possível atingir 100% de felicidade, eu posso com certeza ultrapassar os 10% – e estou animado para tentar. Contemplação, felicidade e compaixão são habilidades que posso aprimorar pelo resto da vida – todo dia, a cada momento, até a morte. E a recompensa disso é menos impulsividade, menos ruminação e – quem sabe? – entrar no riacho. Tenho disposição e curiosidade. Tenho autoconfiança e confiança. Acho que outra palavra que eu poderia usar é... fé.

A próxima atualização é algo mais pé no chão.

Em 7 de outubro de 2013, Ben me chamou no estúdio onde gravamos os principais telejornais. Estendeu a mão para mim e propôs que eu me tornasse coâncora do *Nightline*. Eu disse que sim e então ele me deu um abraço. (Vale mencionar que Ben recentemente começou a meditar e está adorando.)

Fiel ao princípio budista de sofrimento, quando finalmente consegui a função que almejei durante anos, o programa tinha sido transferido para um horário mais tarde e tinha menos audiência. Mas ainda era o melhor posto que qualquer jornalista poderia ocupar. Ao mesmo tempo, convenci-o a me deixar continuar no *GMA* nos fins de semana, um trabalho de que estou gostando mais do que nunca.

Então, agora que tenho uma vida profissional incrível, estou finalmente 100% satisfeito? Consegui chegar ao auge? Seria eu como o tubarão que não precisa mais continuar se movendo? Não sei – talvez não. Mas por enquanto, pelo menos, não estou mais pensando no que quero fazer a seguir, apenas em como posso manter as atuais circunstâncias do jeito que estão.

De qualquer forma, embora a promoção tivesse sido um grande acontecimento, um momento ainda mais significativo havia ocorrido alguns meses antes.

Eu estava no Rio de Janeiro, fazendo uma reportagem sobre os esforços da polícia para pacificar as favelas da cidade. Uma noite, minha equipe e eu acabamos num beco escuro filmando uma quadrilha de traficantes de drogas. Quando o chefe deles apareceu, disse que estava disposto a nos conceder uma rara entrevista, desde que não mostrássemos seu rosto. Rapidamente posicionamos as câmeras, com seus comparsas fortemente armados olhando por cima dos ombros do meu produtor, espiando pelo visor da câmera se estávamos comprometendo o anonimato de seu líder.

– Você descreveria seu trabalho como perigoso? – perguntei.

– O *seu* trabalho é perigoso – respondeu ele. – E se eu decidisse te matar ou te sequestrar agora?

Silêncio incômodo.

Eu tinha 97% de certeza que ele estava brincando, mas os 3% restantes foram suficientes para me lançar num estado mental bem esquisito. O que se seguiu foi algo que chamo, por falta de um termo melhor, de um momento de clareza. Mais uma vez, nada místico – apenas uma série de pensamentos, descobertas e súplicas que surgiram num flash.

Começou pela súplica silenciosa: *Senhor chefe do tráfico, por favor, não me mate logo agora que finalmente dei um jeito na minha vida.*

Em seguida, pensei no quanto havia mudado desde os meus velhos (e maus) tempos de inconsciência – os dias em que eu poderia ter ficado cara a cara com um traficante em circunstâncias totalmente diferentes. E me dei conta de que a voz dentro da minha cabeça ainda é uma idiota. No entanto, agora a meditação me ajuda a amordaçar essa voz. Ainda sou um cara maníaco pelo trabalho, e não me sinto culpado por isso. Ainda acredito que o preço da segurança é a insegurança – que uma dose saudável de neurose é boa. Mas também sei que evitar a preocupação me faz muito mais feliz. Aprender a olhar para dentro me tornou mais aberto para os outros: hoje sou melhor como colega, amigo e marido. E, embora eu ainda me preocupe com minha carreira, aprender a "me importar e não me importar" me deixou com espaço livre para me concentrar nas partes realmente importantes do trabalho – como contar grandes histórias como essa.

Então enviei mais uma pequena súplica mental para o traficante: *A meditação (que você devia tentar praticar também) me tornou menos dependente de circunstâncias externas instáveis, que estão em constante mudança. Minha felicidade é gerada por mim mesmo. Ou seja, estou cada vez mais confortável com a impermanência – mas não tão confortável a ponto de querer que você me apague neste momento.*

Como disse antes, tudo isso aconteceu muito rápido. Segundos depois de me ameaçar, a imensa barriga do traficante começou a sacudir com uma gargalhada.

– Diz pra ele que estou brincando! – disse ele para o meu tradutor.

O bandido então estendeu o braço e colocou a mão no meu ombro, não sei se para me tranquilizar ou para me intimidar – talvez ambos –, enquanto eu ria de nervoso e engolia saliva.

E tive mais um pensamento. Ironicamente, era a mesma coisa que havia pensado mais de dez anos antes, no início dessa odis-

seia, no topo daquela montanha no Afeganistão quando me vi na linha de tiro pela primeira vez:
Espero que a câmera esteja gravando isto.

Agradecimentos

Quero expressar imensa gratidão à minha esposa, Dra. Bianca Harris, por me fazer 100% mais feliz antes de eu me tornar 10% mais feliz ainda. Obrigado por me apresentar ao trabalho do Dr. Mark Epstein, por andar na ponta dos pés quando estou meditando, por aguentar minhas idas aos retiros e por me ajudar em cada etapa deste livro – embora você fique sem graça quando eu repetidamente elogio a sua inteligência e beleza. Eu te amo.

Por falar no incrível Mark Epstein, quero agradecer-lhe por concordar – por razões que nunca vou compreender – em fazer amizade com um estranho tão irritante e inquisitivo.

Gostaria de agradecer a *todos* os meus amigos juBus, incluindo Mark, Joseph Goldstein, Sharon Salzberg, Daniel Goleman e Tara Bennett-Goleman, Jon Kabat-Zinn e Richie Davidson. Vocês me transformaram.

Não posso esquecer meus outros conspiradores contemplativos, cujos escritos, amizade e conselhos me beneficiaram enormemente: Sam Harris, Stephen Batchelor, Robert Thurman, Jud Brewer, Jack Kornfield, Matthieu Ricard, Jay Michaelson, Jim Gimian, Barry Boyce, Melvin McLeod, David Gelles, Josh Baran, Deputado Tim Ryan, Jeff Walker, Jeff Warren, Daniel Ingram, Tara Brach, Spring Washam, Emiliana Simon-Thomas, Chade-Meng Tan, Mirabai Bush, Vince Horn, Elizabeth Stanley, Janice Marturano, Soren Gordhamer e Gyano Gibson.

Tive uma sorte imensa de conseguir um exército voluntário

de primeiros leitores, que dedicaram grande parte de seu tempo a ler meu manuscrito e me salvar de um vexame. Os principais deles foram: Matt Harris, Regina Lipovsky, Karen Avrich e Mark Halperin, quatro das minhas pessoas favoritas no mundo, a quem ficarei devendo eternamente. Outros primeiros leitores que me ajudaram muito foram: Jessica Harris, Susan Mercandetti, Kris Sebastian, Amy Entelis, Kerry Smith, Andrew Miller, Nick Watt, Ricky Van Veen, Wonbo Woo, Glen Caplin, Zev Borow e Hannah Karp. Este livro não teria acontecido sem os comentários valiosos e sem o encorajamento do meu agente literário, Luke Janklow, e da minha editora, Denise Oswald. (Também quero agradecer a toda a equipe da It Books: Lynn Grady, Michael Barrs, Sharyn Rosenblum, Tamara Arellano, Beth Silfin e o excelente preparador de textos Rob Sternitzky.) Devo ainda reconhecer o papel de William Patrick, que chegou nos estágios finais e fez algumas contribuições extremamente valiosas.

Há muitos colegas antigos e atuais da ABC News que contribuíram de várias maneiras: Ben Sherwood, Diane Sawyer, James Goldston, Barbara Walters, David Muir, George Stephanopoulos, Bill Weir, Chris Cuomo, Dr. Richard Besser, Jake Tapper, David Wright, Bob e Lee Woodruff, Jeffrey Schneider, Alyssa Apple, Julie Townsend, Barbara Fedida, Felicia Biberica, Almin Karamehmedovic, Jeanmarie Condon, Bianna Golodryga, Ron Claiborne, Ginger Zee, Sara Haines, John Ferracane, Tracey Marx, Cynthia McFadden, Dan Abrams, Alfonso Pena, Diane Mendez, Nick Capote, Miguel Sancho, Beau Beyerle, Wendy Fisher, David Reiter, Joe Ruffolo, Simone Swink, Andrew Springer e Jon Meyersohn.

Há alguns amigos pessoais que gostaria de mencionar que também me ajudaram ao longo do caminho: Willie Mack, Josh Abramson, Jason Harris, Jason Hammel, Kori Gardiner, Meg Thompson, Stephan Walter e Kaiama Glover.

Por fim, agradeço a Jay e Nancy Lee Harris, as duas realmente indispensáveis "causas e condições" (para usar um pouco de fraseologia budista) para este livro. E este parece ser um bom momento para registrar algo que meu pai disse recentemente e que me surpreendeu: a frase do "preço da segurança é a insegurança" não era de fato seu lema pessoal, mas sim algo que ele inventou para tentar fazer seu jovem filho ansioso se sentir melhor por ser tão preocupado. Então, aparentemente, o conselho não era estratégico, mas sim uma forma de compaixão. Levei quatro décadas para aprender a utilizá-lo de forma sábia. Obrigado aos dois por serem o mais próximo da perfeição que pais poderiam ser, por me deixar escrever sobre vocês e por não ficarem desesperados quando finalmente contei (quase uma década depois do acontecido) sobre a época em que usei drogas. E eu também os perdoo por terem me colocado naquela aula de ioga quando eu era pequeno.

Apêndice: Instruções

Há muitas razões erradas para não meditar. Aqui estão as três principais:

1. "É uma baboseira esotérica." Eu entendo. Como você pode lembrar, eu também pensava assim. Mas vou lhe dizer por que executivos, advogados e fuzileiros navais estão adotando a prática da meditação: trata-se apenas de um exercício. Se você fizer o número correto de repetições, certas coisas vão acontecer, de forma consistente e previsível. Uma delas, segundo as pesquisas, é que o seu cérebro irá mudar de maneiras positivas. Cada vez mais, você será capaz de não se deixar dominar pelas tempestades emocionais passageiras; irá aprender a responder em vez de reagir impulsivamente. Agora sabemos que felicidade, resiliência e compaixão são habilidades que podem ser treinadas. Você não precisa se resignar a seu nível atual de bem-estar ou esperar que as circunstâncias mudem; tome as rédeas. Você escova os dentes, toma os remédios que o seu médico prescreve, come alimentos saudáveis – do contrário, provavelmente vai sentir alguma culpa. Diante de tudo o que a ciência moderna está mostrando, agora é possível colocar a meditação dentro dessa categoria de cuidados básicos com a saúde.
2. "É difícil demais para mim." Chamo isso de "falácia da singularidade". As pessoas me dizem muitas vezes: "Eu sei que deveria meditar, mas a minha mente está sempre a mil por

hora, eu não tenho como acalmá-la." Bem-vindos à condição humana! A mente de todo mundo é assim, naturalmente fora de controle. Até meditadores experientes lutam para não se distrair. Além disso, a ideia de que a meditação exige que você "limpe a sua mente" é um mito. (Falarei mais sobre esse equívoco adiante).
3. "Não tenho tempo para isso." Todo mundo tem cinco minutos. Meu conselho é que você comece meditando cinco minutos por dia e diga a si mesmo que nunca irá fazer mais do que isso. Se conseguir aumentar o tempo de forma gradual, ótimo. Se não, também não tem problema.

Meditação contemplativa básica

1. Sente-se confortavelmente. Você não precisa se contorcer todo para ficar de pernas cruzadas – a não ser que prefira assim, claro. Você pode apenas se sentar numa cadeira. (Pode também ficar de pé ou deitado, embora essa última posição possa causar uma soneca não intencional.) Seja qual for sua posição, mantenha a espinha ereta, mas sem forçar muito.
2. Sinta sua respiração. Escolha um ponto: nariz, barriga ou peito. Tente realmente *sentir* o ar entrando e saindo.
3. Isto aqui é fundamental: toda vez que você se perder em pensamentos – e isso irá acontecer milhares de vezes –, gentilmente retorne à sua respiração. Não me canso de enfatizar que perdoar a si mesmo e começar de novo é a forma certa de meditar. Como minha amiga Sharon Salzberg escreveu, "Começar de novo, diversas vezes, é a verdadeira prática, e não um problema a ser superado para se chegar à meditação *real*".

Dicas dos experts

- Para se manter concentrado na respiração, tente fazer uma suave anotação mental, como "dentro" e "fora". (Não fique concentrado demais na anotação em si, apenas use-a para dirigir sua atenção à experiência sensorial da respiração.)
- "Anotar" ou "perceber", como dizem, também pode ser útil quando algo mais forte – como coceira, dor, preocupação ou fome – aparecer e tirar sua atenção da respiração. O ato de aplicar um rótulo – "planejando", "latejando", "doendo", "fantasiando" – pode objetivar qualquer coisa que esteja acontecendo, tornando-a mais concreta. (Não se preocupe em ficar buscando em seu dicionário interior a palavra certa. Apenas perceba a sensação e siga em frente.)
- Outro macete para se manter concentrado é contar as vezes que você respira. Toda vez que se distrair em pensamentos e perder a conta, volte a contar do número um. Ao chegar a dez – se conseguir chegar –, recomece a contagem.
- Tente meditar todos os dias. Regularidade é mais importante que duração.
- Coloque um alarme ou cronômetro para tocar, para não ter que ficar olhando o relógio a todo momento. Existem aplicativos de telefone para isso.
- Encontre amigos que também se interessam por meditação. Não é obrigatório, mas praticar em grupo – ou simplesmente ter pessoas com quem discutir a sua prática – pode acelerar o aprendizado de todos os envolvidos.
- Busque um mestre em quem você confie. A meditação pode ser um negócio solitário. Ajuda muito ter alguém para orientá-lo.
- Meditadores iniciantes às vezes são aconselhados a se sentar na mesma hora e local todos os dias. Mas, se o seu horário de trabalho for imprevisível e exigir muitas viagens (como o

meu), não se preocupe. Eu medito em qualquer lugar e no horário que for possível.
- De vez em quando, leia livros sobre meditação ou budismo. Embora as instruções básicas sejam fáceis, ouvi-las repetidamente é sempre útil. Como a prática também é simples ("dentro", "fora" *ad nauseam*), ler algumas passagens de um bom livro serve para nos lembrarmos dos fundamentos intelectuais sólidos e fascinantes dessa prática. Aqui estão os meus livros preferidos:

Sobre meditação:
A real felicidade, Sharon Salzberg (Lúmen Editorial, 2012)
Insight meditation, Joseph Goldstein (sem tradução no Brasil)

Sobre budismo e contemplação:
Partir-se sem quebrar, Mark Epstein (Editora Gryphus, 1999)
Budismo sem crenças, Stephen Batchelor (Editora Palas Athena, 2005)

Perguntas mais frequentes

Para que serve mesmo a meditação?
A meditação é a melhor ferramenta que conheço para neutralizar a voz dentro da nossa cabeça. Como discutimos ao longo deste livro, o ego é uma incubadora de críticas, desejos, julgamentos precipitados e planos diabólicos. O simples ato de sentir sua respiração quebra os hábitos de toda uma vida. Durante aquele breve período em que você se concentra na subida e na descida do seu abdômen ou no ar fresco entrando e saindo de suas narinas, seu ego está amordaçado. Você não está pensando,

você está *contemplando* – uma habilidade nata, mas pouco usada, que permite estar consciente sem julgar.

Ao praticar o ciclo de sentir a respiração, perder o foco e depois trazê-lo de volta, você fortalece o músculo da consciência da mesma forma que os exercícios com halteres aumentam seus bíceps. Uma vez que aquele músculo comece a se desenvolver, você passa a enxergar pensamentos, emoções e sensações como eles realmente são: esguichos quânticos de energia sem sustentação em nenhuma realidade concreta.

Imagine a utilidade que isso pode ter. Por exemplo, quando alguém lhe dá uma fechada no trânsito ou fura a fila do supermercado, você automaticamente pensa: *Estou furioso*. Nessa hora, você realmente *se torna* furioso. A meditação lhe permite frear esse processo. Às vezes, claro, sua raiva é justificada. A questão é se você vai reagir à raiva por impulso ou vai responder de forma consciente e pensada. A contemplação aumenta o espaço entre o impulso e a ação, para que você não seja escravo de qualquer obsessão neurótica que surgir em sua cabeça.

Minha mente continua se distraindo durante a meditação. Sou um fracasso?

Essa questão nos leva de volta àquele mito sobre a necessidade de "limpar a mente". O relacionamento entre pensar e meditar é engraçado. Pensamentos são, ao mesmo tempo, o maior obstáculo à meditação e a parte mais inevitável da prática. O objetivo não é eliminar os obstáculos, mas lidar com eles da melhor maneira possível.

Por isso, mais uma vez: toda essa empreitada se resume a momentos de contemplação interrompidos por períodos de distração, seguidos por momentos em que percebemos estar perdidos em pensamentos e trazemos a atenção de volta à respiração. Com o tempo, os períodos de contemplação podem ficar mais longos e os de distração, mais curtos. Não por acaso, a habilidade de recomeçar inúmeras vezes tem benefícios significativos no dia a dia, pois aumenta nossa capacidade de nos reerguermos diante dos altos e baixos da vida.

Por que não estou mais relaxado?

Em primeiro lugar, quando você começa a aprender qualquer coisa, o início é mesmo desajeitado e difícil.

Depois, escreva em seu mural esta frase de Jon Kabat-Zinn: "A meditação não é para você se sentir de determinada maneira. É para sentir a forma como você se sente."

Você não precisa atingir um determinado estado especial; simplesmente precisa estar o mais consciente possível daquilo que está acontecendo no momento.

A meditação ficou muito mais fácil para mim quando parei de me culpar pelas coisas que se passavam na minha cabeça. Até hoje, assim que começo a meditar, meus primeiros pensamentos são: *Como vou aguentar ficar aqui até o final? Por que estou fazendo isto?* Mas não planejo fazer essas reclamações. Elas vêm do nada. Portanto, em vez de cair naquilo que Sharon Salzberg chama de "acesso de julgamento", eu apenas rotulo os pensamentos como "reclamação", "precipitado" ou "dúvidas". Mais uma vez, cultivar essa atitude na meditação gera consequências poderosas na vida real: você não pode controlar o que lhe vem à cabeça, mas pode controlar a forma como vai responder a isso.

Você fica falando que "não podemos controlar o que sentimos, apenas a forma como respondemos", mas eu quero sentir coisas diferentes. A meditação fará isso por mim?

Pela minha experiência, sim. Não de imediato, claro – e não completamente. Mas, à medida que parar de alimentar seu padrão habitual de pensamentos e emoções, você abrirá espaço para novos sentimentos.

Se estiver sentindo dor, posso mudar de posição?
Sei que não vou responder o que você espera. Meu conselho é que você continue na mesma posição e investigue o seu desconforto. Se prestar atenção, verá que a dor está constantemente mudando. Tente anotar: "latejando", "ardendo", "repuxando", etc. Você poderá descobrir que não é a dor que é intolerável, e sim sua resistência a ela. Mas, se você acha que corre o risco real de se machucar, mude de posição.

Eu sempre caio no sono. O que devo fazer?
Esse não é um problema novo. Os budistas, para variar, elaboraram listas de coisas que você pode fazer para combater a fadiga durante a meditação. Veja algumas:

- Medite com os olhos abertos (só o suficiente para deixar um pouco de luz entrar; tente fixar o olhar num ponto neutro na parede ou no chão).
- Faça meditação caminhando (falarei mais sobre isso a seguir).
- Investigue seu cansaço. Onde ele está localizado em seu corpo? Sua cabeça está pesada? Seu ouvido está zumbindo?
- Pratique a meditação metta (também falarei mais sobre isso adiante).
- Puxe suas orelhas, esfregue as mãos, braços, pernas e rosto.
- Jogue água no rosto.
- Se nada disso adiantar, vá dormir na cama.
- Considere a possibilidade de estar com prisão de ventre (juro que eles dizem isso).

Isso é incrivelmente tedioso.
O tédio também não é um problema recente. O conselho para isso é o mesmo da dor e da fadiga: investigue. Como o tédio faz você se sentir? Como se manifesta em seu corpo? Qualquer coisa

que surja em sua cabeça pode ser cooptada e transformada em objeto de meditação. É como no judô, em que você usa a força de seu inimigo contra ele mesmo.

Outro macete para superar o tédio é aumentar o nível de dificuldade da prática. Tente sentir sua respiração mais atentamente. Você consegue perceber o ponto em que começam ou terminam a inspiração e a expiração? Você se concentra mais na sua próxima inspiração do que na consciência de onde você está? Consegue anotar os intervalos entre cada respiração? Se esses períodos forem longos, você pode escolher outros pontos do seu corpo para se concentrar, voltando sua atenção para seu bumbum, ou suas mãos, ou seus joelhos, até a próxima respiração se iniciar.

Fico tentando sentir minha respiração naturalmente, mas, toda vez que me concentro nela, começo a controlá-la, de forma que fica parecendo artificial.

Não tem problema. É como diz Joseph Goldstein: "Isso não é um exercício respiratório." Você não precisa respirar de uma determinada maneira. Se quiser, pode respirar mais fundo ou mais superficialmente – o que for mais confortável e mais fácil de sentir. O importante é a contemplação, não a respiração.

E se eu entrar em pânico e tiver falta de ar toda vez que observar minha respiração?

Isso acontece às vezes. Felizmente, há variações para a meditação contemplativa que não colocam o foco na respiração.

Escanear o corpo

1. Fique sentado, de pé ou deitado, tanto faz.
2. Comece prestando atenção em uma extremidade do seu

corpo e vá subindo ou descendo. Concentre-se nos seus pés, suas canelas, seus joelhos, seu bumbum e assim por diante. Quando chegar à cabeça, pergunte-se o que está sentindo. Após chegar ao topo, faça a varredura novamente até embaixo.
3. Toda vez que sua mente se dispersar, traga-a gentilmente de volta.

Meditar caminhando

1. Escolha um espaço com mais ou menos dez metros de comprimento. (Isso é um tanto arbitrário – qualquer área disponível serve.)
2. Devagar, ande para um lado e para outro, anotando mentalmente *levanta, move e pisa* a cada passo. Tente sentir cada componente de cada passada. (Não olhe para seus pés; fixe o olhar em algum ponto neutro à frente).
3. Toda vez que sua mente passear, traga-a de volta.
4. Há quem diga que a meditação caminhando é menos séria ou rigorosa, mas isso é um erro. Só porque suas pernas estão cruzadas não significa que você esteja meditando de forma mais eficaz.

Meditar por compaixão (metta)

Num primeiro momento, a maioria das pessoas torce o nariz para esse tipo de meditação. Mas acredite – ou melhor, confie nos cientistas –, a metta funciona e as pessoas acabam mudando de opinião.

1. Essa prática envolve imaginar algumas pessoas e enviar boas vibrações para elas. Comece pensando em si mesmo. Crie uma imagem mental mais clara possível. Repita as seguintes frases: *Que você possa ser feliz. Que você possa estar seguro e protegido de qualquer mal. Que você seja forte e saudável. Que você viva com tranquilidade.*
2. Faça isso bem devagar. Deixe o sentimento pousar em seu coração. Você não está forçando seus desejos a ninguém, está apenas lhes oferecendo, como faria com um copo de água gelada. Além disso, o sucesso não é medido pela sua capacidade de gerar uma emoção específica. O objetivo não é sentir uma onda de amor avassaladora. O importante é tentar. Cada vez que fizer isso, estará exercitando seu músculo da compaixão. (Aliás, se não gostar das frases acima, pode criar as suas.)
3. Depois de enviar aquelas frases para si mesmo, prossiga com: um benfeitor (professor, mentor, parente), um amigo íntimo (também pode ser um animal de estimação), uma pessoa neutra (alguém que vê com frequência mas quase não percebe), uma pessoa difícil e, por fim, "todas as criaturas".

Consciência aberta

1. Fique sentado, de pé ou deitado, tanto faz (também pode fazer isso caminhando).
2. Em vez de observar apenas a respiração, tente observar tudo o que surgir no momento. Aponte uma câmera para sua mente e tente ver tudo o que está lá. Para manter seu foco, tente anotar o que perceber: *queimando, ouvindo, coçando, respirando,* etc.
3. Toda vez que perder a concentração, perdoe-se e retorne ao

foco. (É muito fácil se distrair fazendo esse tipo de meditação, portanto é bom usar sua respiração como uma âncora para retornar nos momentos em que se perder.)

Mais perguntas:

Anotar não seria uma forma de pensar?
Sim, mas isso é o que os budistas chamam de uma forma "hábil" de pensar, criada para direcionar a mente a se conectar com o que está acontecendo em vez de se deixar levar por uma tempestade de ruminações inúteis. E, como em toda forma de pensar, é possível que a anotação resvale para o julgamento. Por exemplo, muitas vezes me pego anotando: *Você está se distraindo de novo, seu imbecil.*

Contemplar seria a mesma coisa que viver no momento presente?
Viver no momento presente é necessário, mas não suficiente para a contemplação – que envolve estar no momento *e* consciente do que está acontecendo. Não adianta ser como um filhote de cachorro: eles certamente estão vivendo o agora, mas não têm consciência nenhuma das besteiras que estão fazendo.

Já ouvi falar muito em meditação transcendental. Muitas celebridades praticam. Qual é a diferença entre MT e isso que você está falando aqui?
MT envolve um mantra – uma palavra ou frase que você repete para si mesmo. É um estilo de meditação que vem do hinduísmo e é centrado em gerar uma concentração profunda, que pode trazer uma sensação maravilhosa. As práticas que estou apresentando aqui vêm do budismo e focam na consciência e na

contemplação. (As diferenças não são tão claras, na verdade.) As duas escolas tendem a criticar uma à outra. No entanto, embora eu esteja no campo do budismo, já pesquisei o suficiente sobre a MT para me convencer de que essa prática também traz muitos benefícios.

A meditação faz bem para qualquer pessoa?
Se você tiver depressão severa ou tiver sofrido algum trauma, seria melhor consultar um especialista em saúde mental ou um professor muito experiente.

Você não é um professor. Como se acha capaz de dar instruções de meditação?
É uma pergunta justa. Você deve tomar cuidado com professores que não têm uma experiência profunda. Mas tudo o que escrevi aqui foi submetido ao crivo de mestres que conhecem muito bem o assunto.

Posso meditar se minha religião for o cristianismo (ou judaísmo, islamismo, etc)? Isso iria contradizer minha fé?
Há muita controvérsia em torno dessa questão. O Dr. Albert Mohler, que dirige o Seminário Teológico Batista do Sul nos Estados Unidos, critica a ioga e a meditação por serem baseadas na espiritualidade oriental e, portanto, inadequadas para os cristãos. Antes de se tornar o Papa Bento XVI, o Cardeal Ratzinger criticou o budismo, dizendo que se tratava de uma "espiritualidade autoerótica".

Por outro lado, há opiniões igualmente fortes de cristãos, judeus e muçulmanos afirmando que a meditação sempre foi parte das tradições místicas de todas as grandes religiões. Além disso, a meditação contemplativa – especialmente a técnica de redução de estresse desenvolvida por Jon Kabat-Zinn – é uma ferramenta para aprimorar a higiene mental. De fato, aquietar a voz dentro da cabeça ajuda as pessoas a se sentirem mais perto de Deus.

Qual é o tempo mínimo para meditar e obter os benefícios da meditação?
Ninguém descobriu a dose certa ainda. Eu não tenho uma prova científica disso, mas acho que, se você conseguir se sentar cinco minutos por dia, já vai começar a ver mudanças na sua vida, principalmente em seu nível de reatividade emocional.

Em resumo

Esqueça suas ideias preconcebidas sobre meditação. Esqueça a embalagem esotérica. A meditação vale muito a pena – mesmo se você tiver vergonha de admitir que está praticando.

Quando somos dominados pelo ego, a vida fica num estado constante de crise. Você nunca está saciado, nunca se sente satisfeito, sempre procura a próxima experiência. A meditação é o antídoto. Não vai resolver todos os seus problemas ou elevá-lo a um estado de graça. Mas a prática pode torná-lo 10% mais feliz – ou talvez muito mais que isso.

Havia um cartaz que eu adorava na parede da minha loja de discos favorita em Boston. Acima da lista dos próximos lançamentos, o cartaz dizia: TODAS AS DATAS ESTÃO SUJEITAS A MUDANÇAS. E VOCÊ TAMBÉM.

CONHEÇA OUTRO LIVRO DE DAN HARRIS

Meditação para céticos ansiosos

Após sofrer um ataque de pânico ao vivo na TV, diante dos milhões de espectadores que assistiam a seu programa na rede ABC News, Dan Harris se tornou um ávido meditador – e, segundo sua esposa, uma pessoa muito menos irritante.

Agora, depois do grande sucesso de seu livro de estreia – *10% mais feliz* –, ele decidiu se juntar a Jeff Warren, um excepcional professor de meditação, para ensinar como driblar os obstáculos mais comuns na hora de estabelecer uma rotina consistente de prática.

Com uma linguagem divertida e irreverente, *Meditação para céticos ansiosos* é um guia completo para iniciantes, derrubando os principais mitos e equívocos que cercam a meditação. Perfeito para quem acha que meditar é só para quem coleciona cristais, usa roupas esquisitas e fala "namastê".

Além disso, traz uma série de práticas guiadas, feitas sob medida para você que gostaria de começar, mas acredita que nunca conseguiria sentar-se em silêncio por alguns minutos ou simplesmente acha que não tem tempo para isso.

CONHEÇA OUTROS TÍTULOS DA EDITORA SEXTANTE

Atenção plena para iniciantes
Jon Kabat-Zinn

Pioneiro em demonstrar os benefícios da atenção plena na terapia de redução do estresse, Jon Kabat-Zinn convida você a transformar a maneira como se relaciona com seus pensamentos e sentimentos, acalmando o barulho interno e despertando para o momento presente.

Nesse livro, o autor oferece instruções, respostas e reflexões tanto para quem já conhece as técnicas quanto para quem está começando a trilhar esse caminho. Ele ensina:

- O valor de trazer a atenção ao corpo e aos sentidos
- Como nos libertarmos da tirania dos pensamentos
- Como ver além da narrativa que a nossa mente conta
- Como estabilizar a atenção em meio às atividades do dia a dia
- Quais são os três principais fatores mentais que causam sofrimento
- Como usar a meditação para enfrentar o estresse, a dor e as doenças.

Atenção plena – Mindfulness
Mark Williams e Danny Penman

Recomendado pelo Instituto Nacional de Excelência Clínica do Reino Unido, a atenção plena (ou mindfulness) ajuda a trazer alegria e tranquilidade para sua vida, permitindo que você enfrente seus desafios com uma coragem renovada.

Mais do que uma técnica de meditação, este método é um estilo de vida que consiste em estar aberto à experiência presente, observando seus pensamentos sem julgamentos, críticas ou elucubrações.

Ao tomar consciência daquilo que sente, você se torna capaz de identificar sentimentos nocivos antes que eles ganhem força e desencadeiem um fluxo de emoções negativas – que é o que faz você se sentir estressado, irritado e frustrado.

Este livro apresenta um curso de oito semanas com exercícios e meditações diárias que vão ajudar você a se libertar das pressões cotidianas, a se tornar mais compassivo consigo mesmo e a lidar com as dificuldades de forma mais tranquila e ponderada.

Você também terá acesso a um link com oito meditações em áudio enfocando a atenção plena do corpo e da respiração, de sons e pensamentos, entre outras.

Um Novo Mundo –
O despertar de uma nova consciência
Eckhart Tolle

Mais do que em qualquer outra época de sua história, a humanidade tem hoje a chance de criar um mundo novo – mais evoluído espiritualmente, mais pleno de amor e sanidade. Para Eckhart Tolle, estamos vivendo um momento único e maravilhoso: o do despertar de uma nova consciência.

Ele nos mostra que o salto para essa nova realidade depende de uma mudança interna radical em cada um de nós. Precisamos nos livrar do controle do ego, pois essa é a fonte de todo o sofrimento humano. Sob seu domínio, somos incapazes de ver a dor que infligimos a nós mesmos e aos outros.

Quando despertamos, o pensamento perde a ascendência sobre nós e se torna o servo da consciência, que é a ligação com a inteligência universal, a fonte da vida da qual todos nós procedemos.

Enquanto desvenda a natureza dessa mudança de consciência, Tolle nos ensina a vencer as artimanhas que o ego utiliza para nos isolar uns dos outros. De forma inspiradora, ele nos ajuda a descobrir o nosso verdadeiro eu, a essência humana que nos permitirá construir o novo mundo e viver em harmonia com tudo o que existe.

O poder do Agora
Eckhart Tolle

Nós passamos a maior parte de nossas vidas pensando no passado e fazendo planos para o futuro. Ignoramos ou negamos o presente e adiamos nossas conquistas para algum dia distante, quando conseguiremos tudo o que desejamos e seremos, finalmente, felizes.

Mas, se queremos realmente mudar nossas vidas, precisamos começar neste momento. Essa é mensagem simples, mas transformadora de Eckhart Tolle: viver no Agora é o melhor caminho para a felicidade e a iluminação.

Combinando conceitos do cristianismo, do budismo, do hinduísmo, do taoísmo e de outras tradições espirituais, Tolle elaborou um guia de grande eficiência para a descoberta do nosso potencial interior.

Esse livro é um manual prático que nos ensina a tomar consciência dos pensamentos e emoções que nos impedem de vivenciar plenamente a alegria e a paz que estão dentro de nós mesmos.

CONHEÇA ALGUNS DESTAQUES DE NOSSO CATÁLOGO

- Augusto Cury: Você é insubstituível (2,8 milhões de livros vendidos), Nunca desista de seus sonhos (2,7 milhões de livros vendidos) e O médico da emoção
- Dale Carnegie: Como fazer amigos e influenciar pessoas (16 milhões de livros vendidos) e Como evitar preocupações e começar a viver
- Brené Brown: A coragem de ser imperfeito – Como aceitar a própria vulnerabilidade e vencer a vergonha (600 mil livros vendidos)
- T. Harv Eker: Os segredos da mente milionária (2 milhões de livros vendidos)
- Gustavo Cerbasi: Casais inteligentes enriquecem juntos (1,2 milhão de livros vendidos) e Como organizar sua vida financeira
- Greg McKeown: Essencialismo – A disciplinada busca por menos (400 mil livros vendidos) e Sem esforço – Torne mais fácil o que é mais importante
- Haemin Sunim: As coisas que você só vê quando desacelera (450 mil livros vendidos) e Amor pelas coisas imperfeitas
- Ana Claudia Quintana Arantes: A morte é um dia que vale a pena viver (400 mil livros vendidos) e Pra vida toda valer a pena viver
- Ichiro Kishimi e Fumitake Koga: A coragem de não agradar – Como se libertar da opinião dos outros (200 mil livros vendidos)
- Simon Sinek: Comece pelo porquê (200 mil livros vendidos) e O jogo infinito
- Robert B. Cialdini: As armas da persuasão (350 mil livros vendidos)
- Eckhart Tolle: O poder do agora (1,2 milhão de livros vendidos)
- Edith Eva Eger: A bailarina de Auschwitz (600 mil livros vendidos)
- Cristina Núñez Pereira e Rafael R. Valcárcel: Emocionário – Um guia lúdico para lidar com as emoções (800 mil livros vendidos)
- Nizan Guanaes e Arthur Guerra: Você aguenta ser feliz? – Como cuidar da saúde mental e física para ter qualidade de vida
- Suhas Kshirsagar: Mude seus horários, mude sua vida – Como usar o relógio biológico para perder peso, reduzir o estresse e ter mais saúde e energia

sextante.com.br